Ce livre vous est offert par les Editions Atlas
Edité par les EDITIONS ATLAS, rue de Cocherel, 27000 Evreux
Imprimé en UE. ISBN : 2-7312-3456-3
Dépôt légal : 1er semestre 2006
Conception et direction éditoriale : Alexandre Grenier.
Photos : P. Exbrayat, D.R.
Conception graphique : Le Sous-marin

La cuisine du potager

Éditorial

Le plaisir de voir pousser les fruits
et légumes que l'on a plantés est
augmenté au moment de les déguster.

Dans cet ouvrage, nous avons rassemblé
pour vous une sélection de recettes
gourmandes qui vous donneront
quelques idées pour cuisiner les produits
de votre potager en toutes saisons.

Des recettes simples ou plus élaborées,
traditionnelles ou nouvelles...
De l'entrée au dessert... Vous avez
l'embarras du choix !

Pour chaque plat à réaliser,
une superbe photo vous met l'eau
à la bouche et vous donne des idées
de présentation ou de décoration.
Découpée en séquences expliquées
pas à pas, chaque recette vous guide
vers la réussite ! La liste complète
des ingrédients, les temps de
préparation et de cuisson, tout y est !
Sans compter les nombreux petits
trucs et astuces que vous glanerez
au fil de votre voyage culinaire !

Alors bonne cueillette, et surtout
bon appétit !

L'éditeur

Beignets de fleurs de courgette

Ma recette pas à pas :

1 **Faites chauffer** l'huile dans une friteuse ou
   une poêle à frire. Nettoyez délicatement
   les fleurs de courgette avec un linge humide
   et retirez pistils et pédoncules.

2 **Mélangez,** dans un grand bol, la farine,
   la maïzena et la levure. Ajoutez le jaune d'œuf
   battu et fouettez énergiquement.
   Salez et poivrez.

3 **Versez** progressivement le lait en remuant bien
   pour éviter la formation de grumeaux.

4 **Ciselez** le persil et ajoutez-le à cette pâte.
   Passez rapidement les fleurs de courgette dans
   la pâte tout en en veillant à ce qu'elles en soient
   entièrement recouvertes.

5 **Plongez** les fleurs dans le bain de friture
   pendant une minute de chaque côté.
   Les beignets sont cuits lorsqu'ils sont bien dorés.

6 **Retirez-les** avec une écumoire et posez-les sur
   du papier absorbant. Dégustez immédiatement.

*Une recette originale que
ces beignets de fleurs de courgette,
dorés et croustillants à souhait.*

*Et quelle aubaine pour le jardinier
de pouvoir varier les plaisirs
en consommant les fleurs et
les légumes de son potager !*

Coût : ✹ ✹ ✹
Difficulté : ✿ ✿
Préparation : 15 minutes,
Cuisson : 2 minutes par beignet
Pour 4 personnes

Ingrédients :
16 fleurs de courgette
100 g de farine
25 g de maïzena
1 cuillerée à café de levure chimique
1 jaune d'œuf
150 ml de lait
1 bouquet de persil
Huile de friture

Caviar d'aubergines

Ma recette pas à pas :

1 **Allumez** le grill du four. Posez les aubergines sur une feuille d'aluminium et faites les cuire pendant 40 minutes assez loin de la source de chaleur. Retournez-les de temps en temps.

2 Les aubergines sont cuites lorsque leur peau est devenue noire et molle. Laissez-les tiédir puis coupez-les en deux. **Retirez la pulpe** à l'aide d'une cuillère. Jetez la peau.

3 **Pelez** les gousses d'ail et hachez-les. Mélangez-les dans un bol mixeur à la pulpe d'aubergines.

4 **Ajoutez** à cette préparation le jus de citron, l'huile d'olive et le yaourt entier.

5 **Saupoudrez** de 3 pincées de cumin en poudre, puis salez et poivrez.

6 **Mixez** le tout à grande vitesse pendant quelques minutes, jusqu'à ce que le caviar devienne lisse et onctueux. Laissez reposer 1 heure dans le réfrigérateur.

A déguster sur des toasts de pain grillé, ce caviar d'aubergines sert aussi bien d'entrée que d'amuse-gueule pour l'apéritif. Il existe de nombreuses variantes avec du thym ou des épices ; ici, le cumin relève le goût et donne un côté oriental à cette recette d'origine méditerranéenne.

Coût : ☀

Difficulté : ❃

Préparation : 20 minutes

Cuisson : 40 minutes

Pour 4 personnes

Ingrédients :

1 kilo d'aubergines
2 gousses d'ail
4 cuillerées à soupe d'huile d'olive
2 cuillerées à soupe de jus de citron
1 yaourt velouté au lait entier
3 pincées de cumin en poudre
Sel et poivre

Feuilletés carottes et poireaux

Ma recette pas à pas :

1 **Préchauffez** le four à 180° (th. 6).

2 **Coupez** la racine des poireaux à ras du blanc, ainsi que les feuilles abîmées. Fendez-les en deux et lavez-les soigneusement. Émincez-les. Épluchez les carottes, coupez-les en quatre dans le sens de la longueur et débitez-les en petits dés.

3 **Faites fondre** le beurre dans une sauteuse avec une pincée de sel. Ajoutez les poireaux, les carottes et la cannelle. Remuez avec une cuillère en bois, couvrez et faites étuver environ 10 minutes.

4 **Cassez** un œuf dans un saladier et ajoutez la crème fraîche. Mélangez avec un fouet puis incorporez le gruyère râpé et le mélange poireaux-carottes. Salez et poivrez.

5 **Farinez** le plan de travail et étalez la pâte. Découpez 6 abaisses en forme de cercles à l'aide d'un bol. Répartissez la préparation sur une moitié de chaque cercle. Refermez en mouillant un peu les bords pour que la pâte colle bien.

6 **Enfournez** les feuilletés sur une plaque beurrée.

7 **Passez,** au bout de 20 minutes, sur chaque feuilleté un peu de jaune d'œuf à l'aide d'un pinceau de cuisine. Laissez dorer au four environ 10 minutes.

Dorés et croustillants à souhait, ces feuilletés savoureux ont tout pour plaire !

Servis en entrée ou en guise de plat léger, ils accompagneront très bien une salade fraîche aromatisée aux herbes du jardin ou de simples tomates cerises.

Coût : ✱

Difficulté : ✱ ✱

Préparation : 20 minutes

Cuisson : 35 minutes environ

Pour 6 personnes

Ingrédients :

1 bloc de pâte feuilletée prêt à étaler

3 poireaux

3 carottes

1 œuf + 1 jaune d'œuf

125 g de crème fraîche épaisse

125 g de gruyère râpé

30 g de beurre

1/2 cuillère à café de cannelle

Sel, poivre

Feuilleté d'endives au jambon

Ma recette pas à pas :

1 **Lavez** délicatement les endives, essuyez-les,
   puis coupez leur base dure et amère.
   Détaillez les feuilles et enlevez les plus abîmées.

2 **Versez** le vin blanc dans une casserole.
   Ajoutez les endives et recouvrez-les d'eau.
   Salez et poivrez. Faites cuire à feu moyen
   pendant 20 mn puis égouttez-les.

3 **Faites chauffer,** dans le même temps, une autre
   casserole d'eau pour cuire les pommes de terre,
   préalablement épluchées et coupées en rondelles.
   Laissez cuire après ébullition pendant 15 mn.

4 **Épluchez et hachez** les échalotes. Dans une
   poêle, faites-les revenir dans deux cuillerées
   d'huile d'olive. Ajoutez-les au jambon coupé
   en petits dés, aux pommes de terre, aux olives
   coupées en rondelles et à la crème fraîche.

5 **Étalez** dans un moule à manqué beurré
   un rouleau de pâte feuilletée en veillant
   à ce que les bords de la pâte soient relevés tout
   autour du moule. Disposez les feuilles d'endives
   à l'intérieur, puis versez la préparation
   de pommes de terre et de jambon.

6 **Recouvrez** avec le deuxième rouleau de pâte
   feuilletée et joignez les bords des deux pâtes.
   Creusez un trou au centre du couvercle de pâte.
   Badigeonnez celle-ci de jaune d'œuf pour
   qu'elle dore bien à la cuisson, et enfournez
   pendant 35 mn à 180°.

*Facile à préparer et d'un coût
modique, l'endive est un légume
de caractère.*

*Ce feuilleté complet et savoureux
est une bonne façon de la faire
aimer aux enfants.*

Coût : ✹ ✹
Difficulté : ✺ ✺
Préparation : *1 heure*
Cuisson : *1 heure 15 minutes*
Pour 4 personnes

Ingrédients :
5 endives
2 rouleaux de pâte feuilletée de 230 g
10 cl de vin blanc
15 cl de crème fraîche légère
4 pommes de terre
2 tranches de jambon blanc
2 échalotes
100 g d'olives vertes dénoyautées
1 jaune d'oeuf
1 noix de beurre
Huile d'olive
Sel et poivre

Feuilletés au thon

Les enfants dégusteront d'autant plus volontiers ces hors-d'œuvre croustillants si, au lieu de former des feuilletés rectangulaires, vous découpez vos abaisses de pâte en forme de poisson. Une façon détournée de leur faire manger et aimer le thon tout en les amusant !

Coût : ☀

Difficulté : ✿ ✿

Préparation : 40 minutes

Cuisson : 40 minutes

Pour 4 personnes

Ingrédients :

1 bloc de pâte feuilletée à étaler

600 g de thon en boîte au naturel

4 gros oignons épluchés

2 gousses d'ail

2 cuillères à soupe d'huile d'olive

1 cuillère à soupe de vinaigre de Xérès

1 feuille de laurier

1 branche de thym

1 branche de persil

1 verre de vin blanc sec

1 œuf, 6 cuillères à soupe de farine

30 g de beurre

Sel, poivre

Ma recette pas à pas :

1. **Farinez** le plan de travail et étalez la pâte en un rectangle d'environ 12 cm x 24 cm. Coupez-le en deux dans le sens de la longueur, puis de la largeur, pour obtenir quatre rectangles d'environ 6 cm x 12 cm.

2. **Émincez** les oignons et faites-les revenir dans une poêle avec l'huile d'olive. Réservez.

3. **Égouttez** le thon et émiettez-le dans un saladier. Ajoutez les gousses d'ail pelées et émincées, le persil lavé et ciselé, le laurier et le thym effeuillé. Mélangez le tout en incorporant le vinaigre, le vin et l'oignon frit. Salez et poivrez.

4. **Versez** ce mélange dans une casserole et couvrez. Laissez mijoter 10 minutes à feu doux.

5. **Préchauffez** le four à 220° (th.7). Répartissez la préparation sur une moitié de chaque rectangle de pâte. Refermez chaque pièce en mouillant un peu les bords pour que la pâte colle bien.

6. **Cassez** l'œuf dans une tasse et fouettez-le rapidement à la fourchette.

7. **Enfournez** les feuilletés sur une plaque beurrée.

8. Au bout de 20 minutes, **passez** sur chaque feuilleté un peu d'œuf battu à l'aide d'un pinceau à cuisine. Laissez dorer au four environ 10 minutes.

Fèves à la crème et aux lardons

Ma recette pas à pas :

1 *Écossez* les fèves. Enlevez ensuite la peau : entaillez légèrement chaque fève et pressez pour qu'elle sorte.

2 *Pelez* l'ail et émincez-le finement.

3 *Faites revenir* les lardons à sec dans une poêle. Lorsqu'ils sont dorés, égouttez-les sur du papier absorbant et réservez.

4 *Portez* le bouillon à ébullition dans une casserole. Ajouter les fèves, le laurier, le poivre et l'ail. Laissez cuire pendant 10 minutes environ.

5 *Versez* la crème sur les fèves et poursuivez la cuisson environ 5 minutes. Retirez la feuille de laurier. Ajoutez les lardons.

6 *Rectifiez* l'assaisonnement, salez éventuellement, mais attention, les lardons contiennent déjà du sel.

Plus les fèves sont jeunes, meilleures elles sont ! Ces petites graines charnues et veloutées accompagnent particulièrement bien les viandes blanches comme la côte de veau ou le rôti de porc. Et pour qu'elles ne jaunissent pas après la cuisson, passez-les sous l'eau glacée.

Coût : ❊

Difficulté : ❊ ❊

Préparation : *20 minutes*

Cuisson : *15 minutes environ*

Pour 6 personnes

Ingrédients :
800 g de fèves
200 g de lardons fumés
20 cl de crème
2 gousses d'ail
1 feuille de laurier
50 cl de bouillon
Sel, poivre du moulin

Foie gras à la confiture d'oignons

Ma recette pas à pas :

1 **Vérifiez** le poids du lobe de foie gras.

2 **Trempez** la bande de gaze dans l'armagnac et essorez-la en pressant à la main.

3 **Mélangez** dans un bol les baies roses, le poivre et le sel puis répandez-les sur un plan de travail. Roulez le foie sur ce mélange parfumé, puis emmaillottez-le dans la gaze.

4 **Placez** le foie dans une terrine et couvrez-le de gros sel. Laissez 12 heures dans un endroit frais pour un foie de 600 grammes, ou adaptez le temps de repos suivant le poids.

5 **Sortez** le foie du gros sel, retirez la gaze et entreposez 48 heures dans le réfrigérateur avant de le consommer.

6 Pour réaliser la confiture d'oignons, **versez** l'eau dans une sauteuse et faites fondre le sucre à feu très doux, puis ajoutez les oignons.

7 **Laissez mijoter** jusqu'à ce que les oignons prennent une belle couleur blonde. Laissez refroidir.

8 **Découpez** au moment de servir le foie gras en tranches d'environ 1 centimètre d'épaisseur.

9 **Servez** à l'assiette sur un lit de salade verte et accompagnez de confiture d'oignons.

Dans cette recette facile et délicieuse, c'est le gros sel qui cuit le foie gras. Il faut donc peser votre foie avec précision. Sachez que vous devrez laisser le gros sel à raison de 2 heures par 100 grammes de foie, donc 12 heures pour un foie de 600 grammes.

Coût : ✦ ✦ ✦

Difficulté : ✦

Préparation : 2 fois 20 minutes
Repos : 12 heures + 2 jours
Pour 6 personnes

Pour la terrine de foie gras :
1 foie gras de canard d'environ 600 g
1 mètre de gaze en rouleau
20 cl d'armagnac
1 cuillère à soupe de baies roses
3 cuillères à soupe de fleur de sel
1 cuillère à soupe de poivre en grains
1 kg de gros sel
Pour la confiture d'oignons :
3 gros oignons pelés et émincés
1 morceau de sucre

Frisée aux croûtons et à l'ail

Ma recette pas à pas :

1 *Lavez* la salade, essorez-la et coupez-la en lanières.

2 *Émincez* l'échalote et préparez l'assaisonnement : mettez une cuillère à soupe de moutarde dans un bol. Ajoutez l'échalote et une cuillerée à soupe de vinaigre. Mélangez pour bien diluer la moutarde.

3 *Versez* l'huile d'olive en filet tout en continuant de remuer. Salez et poivrez selon votre goût. Réservez au réfrigérateur.

4 *Coupez* les tranches de pain en dés de 2 cm et supprimez les croûtes trop dures.

5 *Faites chauffer* une cuillerée à soupe d'huile d'olive dans une poêle. Faites dorer le pain et les gousses d'ail entières pendant 5 mn environ. Laissez refroidir.

6 *Mettez* la salade frisée dans un saladier, ajoutez les croûtons et les noix.

7 *Versez* la sauce, au dernier moment, sur la salade et mélangez.

En été, on ne se lasse pas des salades fraîches et croquantes.

Avec son petit goût amer caractéristique, la frisée s'associe ici aux croûtons et à l'ail pour nous proposer une recette simple, rapide et délicieuse !

Coût : ☀

Difficulté : ❀

Préparation : *15 minutes*
Cuisson : *5 minutes*
Pour 4 personnes

Ingrédients :
1 salade frisée
Quelques tranches de pain
4 gousses d'ail
80 g de cerneaux de noix
Huile d'olive
Assaisonnement :
1 cuillerée à soupe de moutarde
1 cuillerée à soupe de vinaigre de vin rouge
1 petit verre d'huile d'olive
(ou d'huile de noix)
1 échalote
Sel et poivre

Gaspacho de tomates

Ma recette pas à pas :

1 **Réalisez** une mayonnaise : mélangez le jaune
d'œuf et la moutarde. Laissez reposer 1 minute.
Ajoutez petit à petit 20 cl d'huile d'olive au
fouet ainsi que quelques gouttes de jus de citron,
en dosant selon votre goût.

2 **Retirez** le pédoncule des tomates et incisez-les
en croix. Plongez-les 30 secondes dans de l'eau
bouillante. Egouttez-les et retirez la peau.
Coupez-les en deux et épépinez-les.

3 **Épluchez** le concombre et évidez-le. Mettez
de côté 1 tomate et la moitié du concombre.
Coupez la chair restante en morceaux.

4 **Pelez et hachez** grossièrement l'oignon et l'ail.

5 **Mouillez** la mie de pain avec le reste d'huile
d'olive et le vinaigre.
Mixez avec les tomates, l'oignon, l'ail et quatre
cuillères à soupe de mayonnaise.

6 **Versez** peu à peu le bouillon jusqu'à ce que
le gaspacho ait une consistance moelleuse.
Salez, poivrez et placez 4 heures au réfrigérateur.

7 **Coupez** la tomate et le concombre réservés
en petits dés. Versez le potage dans un plat
de service.

8 **Parsemez** de basilic et de ciboulette haché et
décorez avec les dés de tomate et de concombre.
Dégustez aussitôt.

*Cette soupe de tradition espagnole
se sert glacée. Pour en corser le goût,
coupez de fines tranches de pain
et faites-les dorer.*

*Tartinez ensuite ces croûtons
de beurre d'anchois et servez
avec le gaspacho.*

Coût : ☀

Difficulté : ❄ ❄

Préparation : 15 minutes
Réfrigération : 4 heures
Cuisson : 30 secondes
Pour 8 personnes
Ingrédients :
1,5 kg de tomates
1 concombre, 1 oignon
150 g de mie de pain
40 cl d'huile d'olive
10 cl de vinaigre
1 litre de bouillon de volaille refroidi
1 bouquet de basilic
1 botte de ciboulette
1 jaune d'œuf (à température ambiante)
1 cuillère à café de moutarde
1 citron
Sel et poivre du moulin

Gâteau de carottes

On connaît bien le gâteau de carottes
servi en dessert, mais celui-ci
se déguste en entrée avec de la salade
verte ou en accompagnement
d'un rôti et il est tout aussi délicieux !

Ma recette pas à pas :

1 **Pelez** les carottes et coupez-les en rondelles épaisses.

2 **Faites-les cuire** dans une casserole d'eau bouillante salée pendant 20 minutes.

3 **Égouttez** les rondelles et passez-les au mixeur jusqu'à l'obtention d'une purée de carottes.

4 **Ajoutez** à cette préparation 2 cuillerées à soupe d'huile, le sucre en poudre, la noix de coco, le cognac et mélangez bien le tout. Salez et poivrez.

5 **Tranchez** les petits pains au lait et passez-les 1 mn au grille-pain pour les durcir légèrement.

6 **Beurrez** le moule à cake. Disposez au fond du moule une couche de purée de carottes, puis par dessus une couche de pain grillé. Continuez à alterner les couches pour finir avec une couche de pain.

7 **Protégez** le cake de carottes avec un film alimentaire et mettez-le au réfrigérateur pendant une nuit.

8 **Démoulez** et servez bien frais.

Coût : ❋

Difficulté : ❋ ❋

Préparation : 15 minutes

Réfrigération : 12 heures

Cuisson : 20 minutes

Pour 4 personnes

Ingrédients :
500 g de carottes
200 g de sucre en poudre
200 g de noix de coco râpée
6 petits pains au lait
1 noisette de beurre
5 cl de cognac
Huile de tournesol
Sel et poivre

Marinade de courgettes au vinaigre balsamique

Ma recette pas à pas :

1 **Lavez** les courgettes en brossant bien la peau. Coupez les deux extrémités. Avec un économe, détaillez en lanières dans le sens de la longueur.

2 **Mettez** les lanières de courgettes dans une passoire et saupoudrez-les de sel. Couvrez avec une assiette et laissez dégorger 20 minutes.

3 **Brossez** le citron sous l'eau courante et détaillez l'écorce en zestes que vous hacherez finement.

4 **Concassez** les graines de coriandre avec un pilon.

5 **Mélangez** le vinaigre balsamique, l'huile d'olive, le sel et le poivre dans un bol.

6 **Égouttez** les courgettes et séchez-les avec du papier absorbant.

7 **Disposez-les** dans un plat creux et arrosez-les de la vinaigrette. Parsemez des graines de coriandre et répartissez les zestes de citron.

8 **Mélangez,** couvrez d'un film alimentaire et laissez mariner 1 heure au réfrigérateur avant de déguster.

Le véritable vinaigre balsamique est originaire de Modène en Italie et porte la mention « tradizionale ».

Sa belle couleur brun foncé, son goût aux notes caramélisées et son aspect sirupeux si caractéristique sont dus au taux de sucre qu'il contient naturellement.

Coût : ✸

Difficulté : ✸✸

Préparation : 15 minutes
Repos : 1 heure 30 minutes
Pour 6 personnes

Ingrédients :
4 petites courgettes
2 cuillères à café de graines de coriandre
2 cuillères à soupe de vinaigre balsamique
4 cuillères à soupe d'huile d'olive
1 citron non traité
Sel, poivre du moulin

Mousse de tomates

Une entrée fondante et fraîche, parfumée aux herbes, à servir accompagnée d'une sauce au pesto, ce basilic si goûteux.

Ma recette pas à pas :

1 **Lavez** les tomates et retirez leur pédoncule. Plongez-les 20 secondes dans de l'eau bouillante puis épluchez-les.

2 **Fendez** les tomates en deux, enlevez les pépins puis coupez-les en petits morceaux. Ciselez le basilic et le persil.

3 **Faites ramollir** les feuilles de gélatine dans de l'eau froide pendant 3 mn, et égouttez-les avec précaution. Faites tiédir 10 cl d'eau puis hors du feu, ajoutez la gélatine et remuez doucement pour la faire fondre.

4 **Mixez** les tomates avec les herbes jusqu'à l'obtention d'une purée. Ajoutez la gélatine et remuez. Salez et poivrez.

5 **Fouettez** vivement la crème fraîche jusqu'à ce qu'elle devienne ferme. Incorporez délicatement aux tomates cette crème fouettée.

6 **Versez** la préparation dans des ramequins que vous placerez au réfrigérateur pendant 6 heures, le temps que le liquide se gélifie. Servez très frais.

Coût : ❋ ❋

Difficulté : ❋ ❋ ❋

Préparation : *25 minutes*
Réfrigération : *6 heures*
Pour 4 personnes

Ingrédients :
4 tomates bien mûres
6 feuilles de gélatine
30 cl de crème fraîche
1 bouquet de basilic
1 demi-bouquet de persil
Sel et poivre

Pipérade

Spécialité basque, la pipérade est traditionnellement servie avec des œufs brouillés et des tranches de jambon de Bayonne poêlées.

Cette fondue de piments verts doux accompagne également très bien les poissons grillés comme le thon, ou les viandes blanches comme le poulet.

Ma recette pas à pas :

1 **Lavez** les piments et les poivrons, épépinez-les et débitez-les en fines lanières dans le sens de la longueur. Faites une légère entaille en forme de croix sur la peau des tomates et plongez-les 1 minute dans l'eau bouillante. Puis passez-les sous l'eau froide pour les peler facilement. Épépinez-les puis coupez-les en petits dés. Pelez les oignons et émincez-les. Épluchez les gousses d'ail et hachez-les très finement.

2 **Faites revenir** doucement les oignons émincés dans l'huile. Incorporez les piments et les poivrons, remuez souvent et couvrez afin d'accélérer la cuisson.

3 **Ajoutez** les tomates, l'ail et les herbes lorsque l'oignon est bien blond. Salez, poivrez, ajoutez un peu de piment ainsi que la pincée de sucre pour corriger l'acidité de la tomate.

4 **Couvrez** et laissez mijoter environ 30 minutes.

5 À la fin de la cuisson, **Battez** les œufs en omelette et incorporez-les à la pipérade. Poursuivez la cuisson 5 minutes en remuant avec une cuillère en bois.

6 **Servez** accompagné de tranches de jambon de Bayonne découennées passées légèrement à la poêle.

Coût : ✳

Difficulté : ✳

Préparation : 25 minutes
Cuisson : 40 minutes
Pour 4 personnes
Ingrédients :
6 œufs
4 tranches de jambon de Bayonne
10 piments verts doux
2 beaux oignons
6 grosses tomates bien mûres
2 gousses d'ail
2 poivrons
3 cuillères à soupe d'huile d'olive
1 pincée de sucre
1 branche de thym
1 feuille de laurier
1 pincée de piment d'Espelette
Sel, poivre

Poêlée de champignons des bois

*Issus de votre cueillette dans les bois
ou achetés dans le commerce,
vos champignons des bois composeront
cette poêlée croquante et très parfumée,
à savourer en accompagnement
de viandes grillées.*

Ma recette pas à pas :

1   **Rincez** *rapidement les champignons
    et retirez leur bout terreux.
    Essuyez-les sur du papier absorbant.*

2   **Mondez** *les tomates en les ébouillantant
    quelques secondes pour les peler facilement.
    Coupez-les en petits dés après avoir ôté
    leurs graines et leur jus.*

3   **Épluchez** *et pilez l'ail. Dans une poêle,
    faites chauffer l'huile d'olive puis ajoutez l'ail
    pilé. Faites sauter les champignons à feu moyen
    jusqu'à ce que leur eau s'évapore. Salez et
    poivrez.*

4   **Ajoutez** *les tomates et laissez mijoter à feu doux
    en remuant fréquemment.*

5   **Préparez** *une sauce : épluchez et hachez
    l'échalote. Faites-la fondre quelques minutes
    dans une casserole à feu doux avec la ciboulette
    lavée et ciselée.*

6   **Ajoutez** *le vin blanc puis le bouillon de
    volaille, et portez à ébullition.*

7   **Versez** *cette sauce sur la poêlée de champignons
    et décorez avec quelques tiges de ciboulette.*

Coût : ✿ ✿ ✿
Difficulté : ✿
Préparation : *20 minutes*
Cuisson : *20 minutes*
Pour 4 personnes

Ingrédients :
*600 g de champignons des bois
2 tomates
2 gousses d'ail
5 cuillères à soupe d'huile d'olive
1 échalote
3 cuillères à soupe de vin blanc
15 cl de bouillon de volaille
1 bouquet de ciboulette
Sel et poivre*

Salade de chou rouge et blanc

Le chou, roi des potées hivernales et des plats alsaciens, se déguste ici dans une salade fraîche, diététique, aux délicats accents exotiques.

Ma recette pas à pas :

1 **Lavez** les choux, détaillez les feuilles et coupez-les en fines lanières. Pelez les carottes et râpez-les.

2 **Épluchez** les oignons, émincez-les. Rincez les germes de soja et égouttez-les.

3 **Mélangez** tous ces ingrédients dans un saladier. Ciselez la coriandre et ajoutez-la à la salade.

4 **Préparez** la sauce : versez 2 jaunes d'œufs et la sauce soja dans le bol du robot, ajoutez une pincée de sel et mixez le tout.

5 **Ajoutez** petit à petit l'huile d'olive en un mince filet tout en continuant de mixer jusqu'à l'obtention d'une mayonnaise onctueuse. Ajoutez quelques gouttes de jus de citron vert et entreposez au réfrigérateur.

6 Avant de servir, **mélangez** la salade avec son assaisonnement.

Coût : ❀ ❀
Difficulté : ❀
Préparation : 25 minutes
Pour 4 personnes

Ingrédients :
200 g de chou rouge
200 g de chou blanc
2 carottes moyennes
200 g de germes de soja
1 bouquet de coriandre fraîche
3 oignons

Assaisonnement :
2 jaunes d'œufs
1 cuillerée à soupe de sauce soja
1 quart de citron vert
1 verre d'huile d'olive
Sel

Salade aux endives et aux noix

Ma recette pas à pas :

1 *Lavez et essorez la salade.*

2 *Enlevez les feuilles abîmées des endives, passez-les rapidement sous l'eau et essuyez-les. Creusez le tronçon à sa base et détachez les feuilles.*

3 *Pelez le concombre et coupez-le en rondelles fines dans une passoire. Salez, couvrez d'une assiette et laissez dégorger 20 minutes.*

4 *Essuyez les champignons et émincez-les après avoir coupé un peu le pied.*

5 *Lavez les radis, ôtez la queue et le pédoncule.*

6 *Délayez la crème fraîche avec l'huile et le vinaigre. Salez et poivrez légèrement. Ajoutez les brins de ciboulette lavés et ciselés.*

7 *Disposez dans chaque assiette quelques feuilles d'endives, des rondelles de concombre égouttées, des feuilles de mâche, des tranches de champignons, 3 radis et quelques cerneaux de noix.*

8 *Assaisonnez chaque assiette de sauce juste avant de servir.*

Pour éviter que les endives ne soient amères, ne les conservez pas à la lumière. Ne les trempez pas non plus dans l'eau, mais rincez-les rapidement et essuyez-les aussitôt. Évidez enfin la base avec un couteau pointu, en retirant un petit cône d'environ 3 cm de largeur.

Coût : ❋ ❋
Difficulté : ❋
Préparation : 20 minutes
Repos : 20 minutes
Pour 4 personnes

Ingrédients :
4 endives
50 g de cerneaux de noix
1 concombre
8 champignons de Paris
12 radis
3 cuillères à soupe d'huile de noix
3 cuillères à soupe de vinaigre de cidre
1 cuillère à soupe de crème fraîche
10 brins de ciboulette
Sel, poivre

Salade de gésiers, mâche et pignons

Salade d'hiver par excellence, la mâche s'associe à merveille avec les pignons et les gésiers confits.

Dans cette recette qui fleure bon le Sud-Ouest, on appréciera tout particulièrement son petit goût noisette, tonique et léger.

Ma recette pas à pas :

1 **Préparez** la sauce vinaigrette : émulsionnez l'huile et le vinaigre, ajoutez une pincée de sel et deux tours de moulin.

2 **Triez, rincez** et essorez la mâche en prenant soin de couper chaque pied. Lavez et coupez les feuilles de trévise en lanières.

3 **Répartissez** la mâche sur 6 assiettes et arrosez de la moitié de la vinaigrette.

4 **Faites griller** les tranches de pain rassis au grille-pain.

5 **Épluchez** les gousses d'ail et frottez-les sur le pain grillé. Puis coupez les tranches de pain en dés.

6 **Coupez** les gésiers en tranches fines et faites-les réchauffer dans une poêle avec un peu de graisse d'oie. Lorsqu'ils sont bien chauds, **répartissez-les** sur chaque assiette et décorez avec les croûtons frits et la trévise.

7 **Parsemez** de pignons de pin et versez le restant de sauce.

Coût : ☀

Difficulté : ❋

Préparation : *20 minutes*
Repos : *30 minutes*
Cuisson : *3 minutes environ*
Pour 6 personnes

Ingrédients :
6 pieds de mâche
Quelques feuilles de trévise
300 g de gésiers confits coupés en tranches fines
100 g de pignons de pin
3 tranches de pain rassis
3 gousses d'ail
2 cuillères à soupe d'huile de tournesol
1 cuillère à soupe d'huile de noix
1 cuillère à soupe de vinaigre
Sel, poivre du moulin

Salade mélangée
au jambon cru

Ma recette pas à pas :

1 **Lavez,** *triez et essorez la salade.*
N'hésitez pas à mélanger les variétés : laitue,
scarole, trévise, feuille de chênes, chicorée...

2 **Épluchez** *et émincez les oignons très finement.*

3 **Équeutez** *et effilez les haricots, puis faites-les*
cuire à l'eau bouillante salée environ 10 minutes.
Rafraîchissez-les sous l'eau froide et égouttez-les.
Formez 4 petits fagots et ficelez-les avec un brin
de ciboulette.

4 **Lavez** *les tomates et coupez-les en rondelles.*

5 **Lavez** *les poivrons. Enfoncez la queue qui*
se détache, entraînant les graines avec elle.
Secouez les poivrons pour éliminer les dernières
graines. Coupez en lanières.

6 **Émulsionnez** *dans un bol l'huile et le vinaigre,*
salez et poivrez.

7 **Disposez** *harmonieusement les ingrédients*
dans 4 assiettes en faisant trôner la tranche
de jambon entière. Servez la sauce vinaigrette
séparément.

Cette salade rafraîchissante peut
constituer un repas à elle seule.

Ajoutez simplement quelques pommes
de terre sautées et triplez les quantités
indiquées. Disposez le tout dans
de grandes assiettes. Parfait pour
un dîner express sur la terrasse !

Coût : ✳

Difficulté : ❋

Préparation : *20 minutes*

Cuisson : *10 minutes*

Pour 4 personnes

Ingrédients :
500 g de salades variées
2 oignons jaunes et 2 oignons blancs
4 tomates
150 g de haricots verts
2 poivrons rouges
4 tranches de jambon cru
4 cuillères à soupe d'huile d'olive
2 cuillères à soupe de vinaigre de vin
4 brins de ciboulette
Sel, poivre du moulin

*S*alade *de mogettes* *vendéennes aux moules*

La mogette de Vendée est un haricot
blanc de forme oblongue, méconnu
et pourtant délicieux.

Un légume régional de qualité
à découvrir sans tarder dans
cette salade atypique !

Ma recette pas à pas :

1 **Faites une incision** en croix au sommet
des tomates, plongez-les dans l'eau bouillante
pendant 1 à 2 minutes. Passez-les à l'eau
froide pour les refroidir. Pelez-les, ôtez
les pépins, et coupez-les en quartiers.

2 **Émincez** les oignons et versez-en la moitié
dans un faitout. Ajoutez les haricots blancs,
les tomates, les carottes épluchées et coupées
en fines rondelles, la moitié du thym
et du laurier.

3 **Recouvrez** d'eau et faites cuire à feu moyen
pendant 45 mn. Égouttez et laissez refroidir.

4 **Épluchez** l'ail et l'échalote puis hachez-les.
Ciselez le persil.

5 **Faites ouvrir** les moules à feu vif avec l'ail
et l'échalote hachés, le reste d'oignons, de thym
et de laurier, la moitié du persil ciselé et le vin
blanc dans une casserole. Enlevez les coquilles.

6 **Préparez** l'assaisonnement : mélangez
la moutarde, l'huile d'olive et le vinaigre.
Salez et poivrez.

7 **Mettez** tous les ingrédients préparés dans
un saladier. Ajoutez le reste de persil ciselé,
versez l'assaisonnement sur la salade
et mélangez.

8 **Gardez** 1 heure au réfrigérateur
avant de servir.

Coût : ✱ ✱ ✱
Difficulté : ✱ ✱ ✱
Préparation : 30 minutes
Réfrigération : 1 heure
Cuisson : 45 minutes
Pour 4 personnes
Ingrédients :
200 g de mogettes de Vendée (haricots blancs)
1kg de moules
2 tomates, 2 carottes, 2 oignons, 1 échalote
1 verre de vin blanc
1 petit bouquet de persil
3 branches de thym, 2 feuilles de laurier
2 gousses d'ail
Assaisonnement :
5 cuillerées à soupe d'huile d'olive
1 cuillerée à soupe de moutarde
1 cuillerée à soupe de vinaigre de vin blanc
Sel et poivre

Salade
de pois chiches
à la menthe

Ma recette pas à pas :

1 *Rincez* et égouttez les pois chiches.

2 *Lavez* la menthe et les légumes.

3 *Retirez* le pédoncule des tomates et du poivron,
   épépinez-les et coupez-les en dés.

4 *Éliminez* les feuilles et les racines des radis
   puis émincez-les en rondelles.

5 *Détaillez* le céleri en petits tronçons.

6 *Faites cuire* les œufs durs, en ajoutant une
   poignée de gros sel dans l'eau pour éviter que
   les coquilles ne se fendent.
   Refroidissez les œufs dans l'eau froide,
   écalez-les et coupez-les en rondelles.

7 *Préparez,* dans un bol, une sauce en
   émulsionnant l'huile et le jus du citron
   avec une pincée de sel et du poivre.

8 *Mettez* les pois chiches, les dés de tomates et de
   poivron, les rondelles de radis, le céleri, le thon
   égoutté et émietté et les tranches d'œuf dans un
   saladier. Versez la sauce et ciselez la menthe sur
   cette salade. Mélangez et servez.

*Si le pois chiche entre dans
la composition de nombreux plats
chauds, à commencer par le couscous,
il est aussi très apprécié en salade.*

*Sa texture légèrement croquante
se marie bien avec le radis et
le céleri-branche ou tout simplement
avec des noisettes.*

Coût : ❈

Difficulté : ❈

Préparation : *20 minutes*
Cuisson : *9 minutes*
Pour 6 personnes

Ingrédients :
250 g de pois chiches en boîte au naturel
1 branche de céleri
1 botte de radis
4 œufs
1 poivron
1 boîte de thon au naturel
2 tomates
1 citron
4 cuillères à soupe d'huile d'olive
1 bouquet de menthe
Gros sel
Sel, poivre

Salade printanière

Ma recette pas à pas :

1 **Préparez** la sauce vinaigrette : émulsionnez l'huile et le vinaigre, salez et poivrez.

2 **Triez, lavez** et égouttez la salade et les herbes fraîches.

3 **Rincez** et équeutez les tomates cerises.

4 **Lavez** les radis, éliminez les feuilles en laissant 1 ou 2 centimètres de fanes puis coupez les racines.

5 **Épluchez** les concombres, coupez-les en rondelles fines, salez et faites-les dégorger 20 minutes dans une passoire recouverte d'une assiette.

6 **Faites cuire** les œufs durs, en ajoutant une poignée de gros sel dans l'eau pour éviter que les coquilles ne se fendent.
Refroidissez les œufs dans l'eau froide, écalez-les et coupez-les en quartiers.

7 **Mettez** tous les ingrédients dans un saladier, en ajoutant les olives noires et les herbes ciselées. Versez la sauce vinaigrette, mélangez et servez.

N'hésitez pas à mélanger les variétés de salade verte dans cette recette estivale : la batavia pour la tendreté de ses feuilles, la scarole pour leur croquant, la frisée pour son goût légèrement amer ou encore la laitue, aux feuilles épaisses et craquantes.

❧

Coût : ✹

Difficulté : ✻

Préparation : 15 minutes
Repos : 20 minutes
Cuisson : 9 minutes
Pour 6 personnes

Ingrédients :
500 g de salades vertes mélangées
150 g de tomates cerises
2 concombres
6 œufs
1 botte de radis roses
30 olives noires
2 cuillères à soupe d'huile d'olive
1 cuillère à soupe de vinaigre de Xérès
Herbes fraîches (menthe, ciboulette, persil)
Sel, poivre

Soupe à l'ail

Ma recette pas à pas :

1 **Pelez et émincez** les gousses d'ail.
Épluchez les pommes de terre, essuyez-les
et coupez-les en tranches très minces.
Lavez le persil et ciselez-le finement.

2 **Faites revenir** l'ail dans le beurre et l'huile,
sans le laisser noircir dans une sauteuse.

3 **Ajoutez** un litre d'eau, les pommes de terre
et le bouquet garni. Salez et poivrez.

4 **Préchauffez** le grill du four.

5 **Portez à ébullition** et laissez frémir 20 minutes.
Retirez la branche de thym et la feuille
de laurier, puis servez cette soupe épaisse
dans des plats individuels à gratiner.
Passez au grill 5 minutes.

6 **Faites bouillir**, pendant ce temps, l'eau
dans une casserole avec le vinaigre.

7 À frémissement, **baissez le feu** et cassez les œufs.
Laissez-les cuire 2 à 3 minutes.

8 **Retirez-les** avec une écumoire et déposez-les
sur les assiettes de soupe. Saupoudrez de persil
et assaisonnez d'un peu de sel de céleri.

À mi-chemin entre la soupe
et le gratin, ce plat rustique
est parfumé de saveurs simples
et franches.

Accompagnez-le d'une assiette
de charcuterie artisanale et d'une
salade verte aux herbes fraîches.

Coût : ☀

Difficulté : ✹ ✹

Préparation : 15 minutes
Cuisson : 25 minutes environ
Pour 2 personnes

Pour la soupe de pommes de terre :
5 gousses d'ail
10 g de beurre
2 cuillères à soupe d'huile
6 pommes de terre
1 bouquet garni (thym, laurier)
2 branches de persil
1 pincée de sel de céleri
Sel et poivre
Pour les œufs pochés :
2 œufs extra-frais
50 cl d'eau
1 cuillère à soupe de vinaigre

Soupe au potiron

Ma recette pas à pas :

1 *Épluchez* le potiron pour ne garder que la chair. Coupez-la en gros cubes de 3 cm sur 3 cm environ. Épluchez les pommes de terre et coupez-les en morceaux grossiers.

2 *Portez* 1 litre d'eau à ébullition dans une grande casserole et versez-y les cubes de potiron et de pommes de terre. Laissez cuire pendant 20 mn à feu moyen.

3 *Préparez* le bouillon de volaille en faisant fondre les 2 cubes dans 50 cl d'eau bouillante.

4 *Mixez* le potiron et les pommes de terre en versant petit à petit le bouillon de volaille très chaud sur les légumes.

5 *Versez* cette préparation dans une casserole, salez, poivrez, ajoutez une pincée de muscade râpée. Faites chauffer jusqu'à ébullition puis arrêtez le feu.

6 *Faites fondre* une portion de fromage et parsemez la soupe de persil haché. Servez aussitôt.

N'attendez pas Halloween pour acheter des potirons !

Ils méritent d'être consommés dès le début de l'automne, et cette délicieuse soupe qui apporte couleur, saveur et vitamines à vos menus vous en convaincra aisément.

Coût : ❋ ❋

Difficulté : ❋ ❋

Préparation : 15 minutes

Cuisson : 30 minutes

Pour 4 personnes

Ingrédients :
1 kg de potiron
3 pommes de terre
2 cubes de bouillon de volaille
1 bouquet de persil
Noix de muscade
1 portion de fromage fondu
(type « Vache qui rit »)
Sel et poivre

#
Terrine de courgettes
à l'ail et au basilic

L'ail, le basilic, le curry et la muscade relèvent la fadeur de la courgette et donnent tout son caractère à cette recette de terrine, à consommer fraîche impérativement.

Ma recette pas à pas :

1 **Épluchez** les oignons et émincez-les finement. Épluchez les gousses d'ail et pilez-les. Lavez les courgettes et râpez-les grossièrement sans les peler.

2 **Faites chauffer** l'huile d'olive et faites revenir l'ail et l'oignon à feu vif dans une poêle. Baissez à feu moyen, ajoutez les courgettes et laissez-les cuire 15 mn jusqu'à ce qu'elles aient rendu toute leur eau.

3 **Lavez** le basilic et ciselez-le finement. Dans un bol mélangeur, battez les œufs en omelette avec la crème fraîche, le basilic, la muscade et le curry. Salez et poivrez.

4 **Versez** les courgettes cuites dans cette préparation et mélangez délicatement.

5 **Remplissez** un moule à cake avec ce mélange. Enfournez au bain-marie pendant 45 mn à 200°. Laissez refroidir hors du four puis placez au réfrigérateur 5 heures au minimum.

6 **Démoulez** la terrine et servez très frais sur un lit de salade, le tout accompagné d'un coulis de tomates.

Coût : ❋
Difficulté : ❋
Préparation : 30 minutes
Réfrigération : 5 heures
Cuisson : 45 minutes
Pour 6 personnes

Ingrédients :
1 kg de courgettes
20 cl de crème fraîche
1 bouquet de basilic
4 œufs
2 oignons
3 gousses d'ail
4 cuillerées à soupe d'huile d'olive
1 pincée de noix de muscade
1 pincée de curry en poudre

Timbale d'asperges vertes

Ma recette pas à pas :

1   **Sortez** le beurre du réfrigérateur.
    Lavez les asperges, pelez-les et coupez-les
    en morceaux de 5 cm de long. Faites-les cuire
    pendant 15 mn dans une casserole
    d'eau bouillante salée. Égouttez-les.

2   **Réservez** les têtes d'asperges. Dans le bol
    du mixeur, mélangez les œufs, la crème fraîche,
    la maïzena, une noix de beurre, une pincée
    de cerfeuil ciselé et les asperges cuites. Salez
    et poivrez. Mixez bien le tout pour obtenir
    une préparation homogène.

3   **Beurrez** 4 petites timbales individuelles et
    remplissez-les de cette crème d'asperges.
    Couvrez-les de papier aluminium.

4   **Enfournez** au bain-marie pendant 40 mn
    à 180° en vérifiant la cuisson : la pointe
    d'un couteau enfoncée dans la crème doit
    ressortir sèche. Sortez les timbales du four
    et démoulez-les sur des assiettes.

5   **Préparez** la sauce à l'orange : pressez l'orange
    et mélangez son jus aux jaunes d'œufs.
    Continuez à battre cette sauce dans un
    bain-marie tiède jusqu'à ce qu'elle devienne
    onctueuse. Hors du feu, incorporez le beurre
    ramolli, mélangez, salez et poivrez.

6   **Nappez** les timbales de cette sauce. Décorez
    avec les têtes d'asperges et avec de fines tranches
    d'orange ou des zestes d'orange confits.

Profitez du printemps pour préparer
avec les meilleures asperges ce fondant
de légumes à l'orange, idéal pour
accompagner les viandes rôties,
les crustacés (crevettes, langoustines…)
ou les fruits de mer (noix de Saint-
Jacques par exemple).

Coût : ✳ ✳ ✳
Difficulté : ✳ ✳
Préparation : 30 minutes
Cuisson : 40 minutes
Pour 4 personnes
Ingrédients :
500 g d'asperges vertes
2 œufs entiers
10 cl de crème fraîche liquide
1 cuillère à café de maïzena
1 petit bouquet de cerfeuil
(ou du cerfeuil haché et séché)
20 g de beurre
Sel et poivre
Pour la sauce :
1 orange
2 jaunes d'œufs
50 g de beurre
Sel et poivre de Cayenne

Timbales d'artichauts
au jambon

Ma recette pas à pas :

1. **Faites cuire** les artichauts 10 minutes à l'autocuiseur. Débarrassez-les de leurs feuilles en en conservant quelques-unes parmi les plus tendres, pour la décoration. Retirez le foin et les tiges, pour ne garder que les fonds.

2. **Faites ramollir** les feuilles de gélatine dans un grand bol d'eau froide.

3. **Coupez** 3 tranches de jambon en lanières et mixez-les avec les artichauts. Montez la crème en chantilly.

4. **Faites chauffer** un yaourt dans une casserole et retirez du feu. Ajoutez les feuilles de gélatine pressées pour les faire fondre, puis incorporez les 2 yaourts restants.

5. **Ajoutez** le jambon et les artichauts mixés au mélange yaourts-gélatine et incorporez délicatement la chantilly, en soulevant l'appareil. Salez et poivrez.

6. **Chemisez** 6 moules à soufflé de papier sulfurisé et répartissez la préparation à l'intérieur. Entreposez au froid pendant 4 heures.

7. **Coupez** les 3 tranches de jambon restantes en rectangles réguliers.

8. **Démoulez** délicatement les timbales et recouvrez-les de morceaux de jambon. Décorez de quelques feuilles tendres d'artichauts et servez immédiatement.

D'un goût délicat, parfois comparé à celui de la noisette, l'artichaut est souvent associé aux ingrédients les plus fins comme le foie gras.

Vous pourrez d'ailleurs remplacer le jambon blanc par du jambon Serrano dans ces timbales de mousse légères.

Coût : ✳

Difficulté : ✳ ✳ ✳

Préparation : 20 minutes
Réfrigération : 4 heures
Cuisson : 10 minutes
Pour 6 personnes

Ingrédients :
6 artichauts
6 tranches de jambon blanc
5 feuilles de gélatine
400 g de crème fraîche liquide
3 yaourts à la grecque
Sel, poivre

Velouté d'asperges

Doux et onctueux, ce plat est un classique de la gastronomie française. Vous pouvez utiliser des conserves d'asperges, ce qui vous permet d'ajouter des champignons de saison à ce délicieux velouté.

Essayez par exemple la pleurote, qui se marie parfaitement à l'asperge.

Ma recette pas à pas :

1 *Épluchez* les asperges en les maintenant bien à plat et en les tenant par le pied. Pelez-les en faisant glisser le couteau économe de la pointe de l'asperge jusqu'au pied.

2 *Plongez* les asperges dans l'eau froide et ajoutez-y le jus du citron.

3 *Épluchez* la pomme de terre et coupez-la en cubes.

4 *Faites cuire* à l'eau bouillante pendant 20 minutes les asperges avec la pomme de terre.

5 *Mixez* le tout et passez au chinois.

6 *Assaisonnez* de sel, de poivre et de paprika.

7 *Ajoutez* la crème fraîche et servez aussitôt, puis parsemez les assiettes de persil haché.

Coût : ❊

Difficulté : ❊

Préparation : 15 minutes
Cuisson : 20 minutes
Pour 6 personnes

Ingrédients :
1 kg de pointes d'asperges
1 grosse pomme de terre
1 citron
10 cl de crème de fraîche
1 bouquet de persil
1 pincée de paprika
Sel, poivre

Velouté de champignons à l'ail et aux échalotes

Ma recette pas à pas :

1 **Épluchez** puis émincez les échalotes, pilez les gousses d'ail. Lavez et essuyez les champignons et coupez-les en petits morceaux.

2 **Faites fondre** le beurre dans une casserole à fond épais puis ajoutez les champignons, les échalotes et l'ail. Saupoudrez de persil haché et d'une pincée de noix de muscade, remuez et laissez cuire à feu doux pendant 15 mn.

3 **Ajoutez** la farine en remuant fortement l'ensemble de la préparation.

4 Dans deux autres casseroles, **préparez** d'un côté le bouillon de volaille et de l'autre, portez le lait à ébullition.

5 **Versez** ces liquides dans la casserole de champignons et passez à feu moyen. Remuez de temps en temps. Dès l'ébullition, baissez le feu et laissez frémir 5 mn de plus.

6 **Mixez** la soupe. Salez et poivrez. Avant de servir, ajoutez le jus d'un quartier de citron et une cuillérée à soupe de crème fraîche. Décorez avec quelques lamelles de champignons.

Lisse et onctueuse, cette soupe fera l'unanimité ! Il vous sera vite difficile de vous en passer, d'autant qu'elle peut se réaliser avec tous les champignons comestibles que vous trouvez. Succès garanti !

Coût : ☼☼
Difficulté : ✻✻
Préparation : *15 minutes*
Cuisson : *40 minutes*
Pour 4 personnes

Ingrédients :
500 g de champignons de Paris
4 échalotes
3 gousses d'ail
2 cuillerées à soupe de beurre
2 cuillerées à soupe de farine
25 cl de bouillon de volaille (ou d'eau)
50 cl de lait
1 cuillerée à soupe de crème fraîche
1 quartier de citron
1 cuillère à soupe de persil haché
1 pincée de noix de muscade
Sel et poivre

Aubergines farcies aux herbes et aux pignons

*Avec sa belle forme allongée,
l'aubergine se prête idéalement
à la préparation des farcis
et sert ici d'accompagnement
parfumé à vos plats d'été.*

Ma recette pas à pas :

1 **Lavez** les aubergines. Coupez-les en 2 dans le sens de la longueur. Évidez-les en laissant 1 cm de chair et en faisant attention à ne pas abîmer la peau. Salez et retournez-les pour les faire dégorger.

2 **Pelez** les tomates après les avoir ébouillantées quelques secondes et coupez-les en morceaux.

3 **Épluchez** les oignons et émincez-les finement, pilez l'ail. Dans une casserole, faites revenir l'ail et les oignons dans 3 cuillerées à soupe d'huile d'olive.

4 **Ajoutez** les tomates et la chair de l'aubergine. Laissez mijoter 20 mn sur feu moyen.

5 **Garnissez** les aubergines de cette farce et déposez-les dans un plat à gratin.

6 **Préparez** le jus : faites fondre le cube de bouillon de légumes dans 20 cl d'eau chaude.

7 **Ajoutez** le reste d'huile d'olive et le jus de citron ainsi que le thym, le romarin et une pincée d'origan.

8 **Arrosez** les aubergines de ce jus, dispersez les pignons de pin et enfournez le plat à 200° C pendant 30 mn en surveillant régulièrement la cuisson.

Coût : ❀ ❀
Difficulté : ❀ ❀
Préparation : 25 minutes
Cuisson : 50 minutes
Pour 4 personnes

Ingrédients :
2 aubergines
3 tomates
2 oignons
2 gousses d'ail
20 g de pignons de pin
1 cube de bouillon de légumes
Quelques brins de thym et de romarin
1 pincée d'origan séché
Le jus d'un demi-citron
15 cl d'huile d'olive
Sel et poivre

Bœuf en daube

Ma recette pas à pas :

1 **Coupez** la viande en gros cubes puis salez et poivrez. Épluchez les carottes, les oignons et l'ail, puis émincez-les finement.

2 **Disposez** la viande dans un plat creux et recouvrez-la de vin rouge. Ajoutez le bouquet garni, les oignons, l'ail, les carottes et 10 grains de poivre. Faites mariner 24 heures.

3 **Égouttez** la viande puis faites revenir les morceaux dans un mélange d'huile et de beurre. Salez les os à moelle à leurs extrémités.

4 **Lavez et émincez** les champignons, puis faites-les revenir dans de l'huile et réservez.

5 **Ajoutez** les oignons, les carottes et l'ail que vous aurez préalablement égouttés, ainsi que les os à moelle et les champignons lorsque les cubes de viande commencent à dorer. Laissez rissoler les ingrédients en remuant un peu pour qu'ils dorent bien sur toutes les faces.

6 **Saupoudrez** la préparation de farine. Mouillez du vin de la marinade allongé de deux grands verres d'eau.

7 **Ajoutez** enfin le bouquet garni.

8 **Couvrez** et laissez mijoter 2 heures en remuant de temps en temps. Le moelleux de la daube s'obtient par une cuisson douce et régulière.

Plat familial par excellence, le bœuf en daube séduira également vos convives dans le cadre d'un dîner bourgeois. Vous le servirez alors à l'assiette, saupoudré de persil haché frais… et de quelques petits morceaux de pain d'épice. Une association audacieuse et réussie !

Coût : ✳✳

Difficulté : ✳

Préparation : 45 minutes

Repos : 24 heures

Cuisson : 2 heures

Pour 6 personnes

Ingrédients :

750 g de tranche maigre

750 g de jarret de bœuf

2 os à moelle

3 carottes coupées en rondelles

250 g de champignons de Paris

2 gros oignons piqués d'un clou de girofle

1 gousse d'ail, 1 bouquet garni

75 cl de vin de Bourgogne rouge

2 cuillères à soupe de farine

80 g de beurre

3 cuillères à soupe d'huile

Sel, poivre moulu et en grains

Boudin aux pommes

Ma recette pas à pas :

1 **Coupez** le citron en deux puis pressez le jus et réservez-le.

2 **Épluchez,** à l'aide d'un économe, les pommes, coupez-les en quartiers, ôtez le cœur et les pépins. Détaillez-les ensuite en petits morceaux dans une jatte, puis arrosez du jus de citron.

3 **Mettez** les pommes dans une casserole avec le sucre, la cannelle, le sel et le poivre puis mouillez d'un verre d'eau.

4 **Tournez** avec une spatule en bois et incorporez le morceau de beurre doux.

5 **Laissez cuire** environ 20 minutes, à feu doux jusqu'à l'obtention d'une belle compote blonde.

6 **Gardez** au chaud le temps de griller votre boudin.

7 **Piquez** la peau du boudin à l'aide d'une fourchette, afin qu'elle n'éclate pas à la cuisson.

8 **Faites fondre** le beurre salé dans une poêle. Lorsqu'il frémit, posez le boudin et laissez-le dorer 10 minutes environ, en le retournant régulièrement pour qu'il soit bien croustillant.

9 **Servez** très chaud, accompagné de compote.

Dans cette recette classique, la saveur de la cannelle réchauffe la subtile acidité de la pomme.

Pour épicer un peu le repas, vous pouvez bien sûr prévoir du boudin antillais pour les amateurs de sensations fortes. Le boudin blanc satisfera les palais plus délicats.

Coût : ✳

Difficulté : ✳✳

Préparation : 35 minutes
Cuisson : 30 minutes
Pour 6 personnes
Ingrédients :
1 boudin noir préparé
par votre charcutier
1,5 kg de pommes
acides et pas trop mûres
1 citron, 10 morceaux de sucre
50 g de beurre doux pour la compote
30 g de beurre salé
pour la cuisson du boudin
1 bâton de cannelle
ou 1 pincée de cannelle en poudre
Sel de Guérande
Poivre du moulin
1 verre d'eau

Calmars à la sauce piquante

Ma recette pas à pas :

1 **Coupez** le citron en deux et recueillez son jus dans un bol.

2 **Nettoyez** les calmars sous l'eau courante, puis détaillez-les en rondelles. Dans un plat creux, faites-les macérer 1 heure dans le jus de citron.

3 **Épluchez** les carottes et coupez-les en rondelles pendant ce temps. Réservez. Coupez le poireau en deux dans le sens de la longueur, lavez-le bien puis émincez-le. Réservez.
Débitez les cornichons en petits tronçons et réservez.

4 **Faites fondre** le beurre dans une poêle puis saupoudrez de farine. Remuez avec une spatule pour obtenir un roux (la préparation doit prendre une couleur ambrée).

5 **Déglacez** à feu doux avec le vinaigre de cidre. Ajoutez 20 cl de bouillon d'un seul coup.

6 **Incorporez** le sucre, les rondelles de cornichons et de carottes, ainsi que le poireau émincé, le thym et le laurier.

7 **Rectifiez** l'assaisonnement (sel, poivre et piment de Cayenne) et laissez mijoter à feu doux une quinzaine de minutes.

8 **Faites cuire** les calmars à l'huile d'olive dans la sauteuse pendant 25 minutes à feu doux.

9 **Ajoutez** la sauce et laissez cuire 15 minutes de plus.

Pour la préparation de ce hors-d'œuvre épicé, vous gagnerez du temps en utilisant des rondelles de calmars déjà préparées par le poissonnier, ou surgelées.

Le vinaigre de cidre peut être remplacé par un vin blanc sec, le même que vous servirez en dégustant ce plat.

Coût : ☀

Difficulté : ✿ ✿

Préparation : *35 minutes*
Macération : *1 heure*
Cuisson : *45 minutes*
Pour 6 personnes
Ingrédients :
1,2 kg de petits calmars
Huile d'olive
3 cuillères à soupe de farine
125 g de beurre
10 cl de vinaigre de cidre
20 cl de bouillon
10 cornichons
2 carottes, 1 poireau
1 branche de thym, 1 feuille de laurier
1 pointe de piment de Cayenne
1 morceau de sucre
Sel, poivre du moulin

Colin à la sauce verte

Ma recette pas à pas :

1 **Lavez** et videz le colin.

2 **Coupez** les racines du poireau au ras du blanc,
ainsi que les feuilles abîmées. Fendez-le en deux
et lavez-le soigneusement à l'eau courante.
Ciselez-le. Épluchez la carotte et débitez-la
en rondelles.

3 **Faites bouillir** de l'eau salée dans une grande
marmite, ajoutez-y les rondelles de carottes
et de poireau ainsi que le laurier. Faites cuire
le colin dans ce court-bouillon 10 à 15 minutes
environ, selon sa taille.
Égouttez et laissez refroidir.

4 **Réalisez** une mayonnaise : cassez l'œuf en ne
conservant que le jaune et ajoutez la moutarde.
Laissez reposer 1 minute pour que la moutarde
« cuise » l'œuf et que la mayonnaise monte bien.
Ajoutez petit à petit l'huile d'olive au fouet
ainsi que quelques gouttes de jus de citron vert,
en dosant selon votre goût.

5 **Lavez** les herbes et ciselez-les. Incorporez-les
ensuite à la mayonnaise puis ajoutez les câpres.

6 **Servez** le colin accompagné de cette sauce verte.

Connu aussi sous le nom de merlu,
le colin est un poisson à la chair
blanche et fine très présent dans
la cuisine bourgeoise.

Les herbes aromatiques qui parfument
ici la mayonnaise apportent fraîcheur
et originalité à cette recette classique
de colin cuit au court-bouillon.

Coût : ✳

Difficulté : ❁❁

Préparation : 15 minutes

Repos : 30 minutes

Cuisson : 15 minutes envviron

Pour 6 personnes

Ingrédients :

1 colin entier

1 poireau, 1 carotte

1 feuille de laurier

Pour la mayonnaise :

1 œuf (à température ambiante)

1 cuillère à café de moutarde forte

20 cl d'huile d'olive

1 citron vert, 1 branche de cerfeuil

1 branche de persil

1 brin d'estragon

2 cuillères à soupe de câpres

Sel, poivre

Coulis de tomates au basilic

Ma recette pas à pas :

1   **Faites** une entaille en forme de croix sur
    la peau des tomates et plongez-les 1 minute
    dans l'eau bouillante.
    Puis passez-les sous l'eau froide pour les peler
    facilement. Épépinez-les, retirez les pédoncules
    puis concassez-les grossièrement au couteau.

2   **Pelez et émincez** les oignons et l'ail.

3   **Versez** l'huile d'olive dans un grand faitout
    et ajoutez les tomates, l'ail, l'oignon et le laurier.

4   **Portez** à ébullition, puis réduisez le feu et laissez
    cuire pendant 1 h environ en remuant de temps
    en temps pour que le coulis n'attache pas.

5   **Effeuillez** le thym et incorporez-le à la sauce.
    Retirez les feuilles de laurier. Salez et poivrez.

6   **Passez** le coulis à la passoire et faites encore
    épaissir sur feu doux pendant environ
    10 minutes.

7   **Lavez** le basilic, essorez-le, ciselez-le puis
    ajoutez-le au coulis. Mélangez.

8   **Laissez refroidir** avant de répartir dans
    des pots. Fermez hermétiquement et faites
    stériliser 20 minutes dans de l'eau bouillante.

*Pour profiter de toute la puissance
de son arôme, il ne faut pas que
le basilic soit trop cuit, sinon
sa saveur se perdrait totalement
et il se serait flétri dans le jus.*

*Aussi, le plus simple consiste
à ne l'incorporer qu'au dernier
moment.*

Coût : ✹
Difficulté : ✹
Préparation : 20 minutes
Cuisson : 1 heure 15 environ
Pour environ 10 pots de 350 g

Ingrédients :
5 kg de tomates
500 g d'oignons
5 gousses d'ail
1 bouquet de thym
3 feuilles de laurier
1 gros bouquet de basilic
20 cl d'huile d'olive
Sel, poivre

Cuissot de sanglier aux airelles

Ma recette pas à pas :

1 **Piquez** la veille le cuissot sur toutes ses faces afin qu'il s'imprègne bien de la marinade que vous allez préparer. Posez-le dans un grand plat creux.

2 **Mettez** dans une casserole les carottes, les échalotes, l'ail, le laurier et 1 branche de thym.

3 **Versez** l'huile d'olive, le vin, le vinaigre, salez et poivrez. Portez à ébullition, puis versez sur le cuissot. Couvrez d'un torchon et laissez mariner à température ambiante 24 heures en tournant deux fois.

4 **Égouttez** la viande, séchez- la et déposez-la dans un plat allant au four.

5 **Badigeonnez** le cuissot d'huile d'arachide, effeuillez 2 branches de thym, salez et poivrez. Ajoutez le beurre et enfournez à 240°.

6 **Incorporez** les oignons et les lardons au bout de 15 minutes. Laissez rôtir à four moyen (200°) pendant 30 minutes environ, selon la grosseur du cuissot. Retournez la viande toutes les 10 minutes. La cuisson est parfaite lorsqu'en piquant la viande il en sort un jus à peine rosé.

7 Un peu avant la fin de la cuisson, **ajoutez** autour de la viande les airelles afin qu'elles soient cuites mais ne se décomposent pas en purée.

Roi de la venaison, le sanglier s'invite volontiers sur les tables de fête. Dans ce plat raffiné, vous pouvez remplacer avantageusement les airelles par un mélange de fruits rouges à base de groseilles, de framboises et de cassis. Accompagnez d'un gratin aux deux pommes.

Coût : ✤ ✤ ✤
Difficulté : ✤

Préparation : 20 minutes
Marinade : 24 heures
Cuisson : 45 minutes environ
Pour 6 personnes
Ingrédients :
1 cuissot de sanglier de 2 kg environ
500 g d'airelles
100 g de beurre en copeaux
2 cuillères à soupe d'huile d'arachide
200 g de lard fumé coupé en dés
3 oignons blancs pelés et émincés
25 cl de vin rouge, 5 cl de vinaigre
6 cuillères à soupe d'huile d'olive
2 grosses carottes, coupées en rondelles
2 échalotes coupées en deux
2 gousses d'ail pelées
Thym, laurier, sel, poivre

Dorade à l'espagnole

Ma recette pas à pas :

1 **Faites préchauffer** votre four sur la position grill à 270° C (th. 9).

2 **Rincez** le poisson sous un filet d'eau froide et séchez-le soigneusement avec du papier absorbant. Lavez les citrons et coupez l'un des deux en rondelles. Salez et poivrez l'intérieur de la dorade, glissez-y le laurier, le thym et les rondelles de citron.

3 **Déposez** le poisson dans un plat allant au four, et arrosez d'un filet d'huile d'olive. Faites griller environ 15 minutes, selon la grosseur du poisson, en retournant à mi-cuisson. Vous penserez à réserver le jus de cuisson obtenu.

4 **Épluchez** l'ail entre-temps et coupez-le en fines lamelles. Lavez les tomates, épépinez-les et coupez-les en petits dés.

5 **Versez** 1 cuillère à soupe d'huile dans une poêle et faites frire l'ail sur feu doux. Ajoutez les dés de tomates et le piment d'Espelette.

6 **Faites réduire** dans une casserole le vinaigre de moitié sur feu vif, en ajoutant le jus de cuisson de la dorade.

7 **Ajoutez** la friture d'ail pimentée aux tomates et laissez mijoter 5 minutes encore.

8 **Ouvrez** le poisson et arrosez-le de sauce. Servez aussitôt.

Pour cette recette très simple, vous pouvez choisir une belle dorade grise dont la chair s'accommodera parfaitement de cette cuisson au four. Et pour ne pas perdre un brin de la succulente sauce qui l'accompagne, servez tout simplement un plat de riz nature.

Coût : ☀

Difficulté : ❄

Préparation : 20 minutes
Cuisson : 25 minutes environ
Pour 2 personnes
Ingrédients :
1 belle dorade de 1,5kg environ, vidée et nettoyée
4 gousses d'ail
4 cuillères à soupe de vinaigre
2 citrons
2 tomates
2 oignons
2 branches de thym
3 feuilles de laurier
1 pincée de piment d'Espelette
Huile d'olive
Sel
Poivre du moulin

Filets de morue au four

Ma recette pas à pas :

1 **Débarrassez,** l'avant-veille, grossièrement
les filets de morue de leurs grains de sel avec
un torchon propre, puis plongez-les dans
une grande casserole remplie d'eau froide.
Couvrez et laissez dessaler 2 jours
au réfrigérateur, en changeant l'eau une fois.

2 **Préchauffez** le four à 180° C (th. 6) le jour
même.

3 **Pelez** la carotte, coupez-la en rondelles
et réservez. Coupez les pommes de terre
en gros dés et réservez. Épluchez et émincez
l'ail et les oignons.

4 **Versez** 4 cuillères à soupe d'huile d'olive dans
une poêle et faites revenir à feu moyen
les pommes de terre, l'ail et les oignons, jusqu'à
ce que le mélange dore. Tournez régulièrement
avec une cuillère en bois.

5 **Portez** de l'eau à ébullition en même temps
dans une grande casserole. Ajoutez le thym,
le persil, le laurier et la carotte. Pochez dans
ce bouillon les filets de morue dessalés et
égouttez-les au bout de 7 minutes. Réservez.

6 **Disposez** dans un plat allant au four
les pommes de terre, l'ail et les oignons rissolés
et terminez par les filets de morue.

7 **Arrosez** d'huile d'olive et enfournez
pendant 30 minutes.

*Cette petite astuce intéressera sans
doute les cuisiniers pressés. Si votre
morue n'a pas dessalé suffisamment
longtemps, placez-la dans un grand
plat creux et recouvrez-la de lait
chaud. Égouttez-la au bout d'une
demi-heure, elle devrait avoir perdu
son goût salé.*

Coût : ✸ ✸

Difficulté : ✸ ✸

Préparation : 30 minutes
Dessalage : 2 jours
Cuisson : 50 minutes
Pour 6 personnes

Ingrédients :
1,2 kg filets de morue
1 kg de pommes de terre épluchées
2 oignons
2 gousses d'ail
1 branche de thym
1 branche de persil
1 feuille de laurier
1 carotte
Huile d'olive
Sel, poivre

Flamiche aux poireaux

S'il a bravé toutes les humeurs au cours de son histoire – de « légume de pharaon » à « asperge du pauvre » –, le poireau est ici apprécié à l'unanimité dans une tarte légère et croustillante qui associe, en parfaite mesure, la douceur de son blanc au goût plus prononcé de ses feuilles.

Ma recette pas à pas :

1 **Lavez** les poireaux à l'eau tiède et épluchez-les. Supprimez les deux tiers des feuilles vertes et les racines. Coupez-les en rondelles d'1 cm environ.

2 **Faites chauffer** le beurre dans une sauteuse, puis ajoutez les poireaux, le sel et le poivre. Faites-les suer à feu doux et à couvert dans 3 cuillerées à soupe d'eau pendant environ 10 mn, jusqu'à ce que les poireaux soient fondants. Retirez du feu.

3 **Battez** les œufs avec la crème fraîche et le lait. Salez, poivrez et ajoutez une pincée de noix de muscade. Mélangez cette préparation aux poireaux refroidis. Préchauffez le four à 210° C.

4 **Beurrez** largement un plat à tarte puis étalez un rouleau de pâte feuilletée en laissant dépasser de 2 cm de pâte sur les bords. Piquez la pâte avec une fourchette pour éviter qu'elle ne gonfle.

5 **Garnissez** la pâte de la préparation aux poireaux. Étalez par dessus le second rouleau de pâte feuilletée. Soudez les bords en les humidifiant et en marquant un retour.

6 **Faites** une cheminée au centre avec un carton. Badigeonnez de jaune d'œuf la pâte au pinceau puis tracez des croisillons avec un couteau. Enfournez et laissez cuire pendant 35 minutes.

Coût : ❀ ❀

Difficulté : ❀ ❀

Préparation : 20 minutes

Cuisson : 35 minutes

Pour 6 personnes

Ingrédients :

2 rouleaux de pâte feuilletée
500 g de poireaux
10 cl de crème fraîche liquide
10 cl de lait
20 g de beurre
3 œufs
Une pincée de noix de muscade
1 jaune d'œuf pour dorer la pâte
Une noix de beurre pour le plat
Sel et poivre

Galettes de pommes de terre

Ma recette pas à pas :

1 **Épluchez,** lavez et râpez les pommes de terre et l'oignon. Versez dans une passoire et laissez égoutter quelques minutes, la pomme de terre rend beaucoup d'eau.

2 **Lavez** le persil et hâchez-le.

3 **Cassez** les 2 œufs dans un saladier, et battez-les rapidement avec une fourchette. Ajoutez la farine, les pommes de terre, l'oignon et le persil. Assaisonnez de muscade, salez et poivrez. Mélangez bien le tout.

4 **Faites chauffer** l'huile dans une poêle et déposez plusieurs cuillerées du mélange à la pomme de terre, que vous espacez un peu pour éviter que les galettes ainsi formées se touchent en cuisant. Laissez cuire à feu moyen environ 3 minutes.

5 **Retournez** les galettes pour faire cuire les deux faces qui doivent être bien dorées. Répétez l'opération jusqu'à ce que le saladier soit vide. Servez chaud.

Croustillantes à l'extérieur, moelleuses à l'intérieur… Appelées « paillassons » dans la région lyonnaise, ou « rösti » en Suisse, ces savoureuses galettes se dégustent accompagnées d'une salade verte, ou bien de compote de pomme. À vous de décider !

Coût : ☀

Difficulté : ❀

Préparation : 15 minutes

Repos : 30 minutes

Cuisson : 5 minutes par galette

Pour 4 personnes

Ingrédients :
1 kg de pommes de terre
1 oignon
2 œufs
1 cuillère à soupe de farine
1 verre d'huile d'olive
1 pincée de noix de muscade
1 bouquet de persil
Sel, poivre

Garbure classique

Ma recette pas à pas :

1 **Mettez** les haricots blancs dans une casserole remplie d'eau froide la veille et laissez-les tremper jusqu'au lendemain.

2 **Épluchez** et lavez le jour même tous les légumes. Coupez le chou en lanières, les pommes de terre et les navets en gros dés, émincez les carottes, les poireaux, l'ail et les oignons. Jetez l'eau de trempage des haricots, rincez-les et égouttez-les. Débitez la poitrine en gros cubes.

3 **Mettez** le lard et tous les légumes, sauf les pommes de terre et le chou, dans une grande cocotte.

4 **Ajoutez** le thym, le persil et le poivre. Salez peu, les viandes le sont déjà.

5 **Couvrez** d'eau froide et portez à ébullition. Écumez. Baissez ensuite le feu et laissez mijoter le tout 1 heure 30, en veillant à ce que l'eau soit toujours à hauteur.

6 **Ajoutez** les pommes de terre et le chou et poursuivez la cuisson 55 minutes, toujours à feu doux.

7 **Ajoutez** enfin le confit avec éventuellement 2 cuillères à soupe de graisse de canard, selon les goûts.

8 **Prolongez** la cuisson environ 10 minutes. Servez bien chaud.

Cette soupe très épaisse peut se déguster avec du pain bis rassis, coupé en tranches minces et éventuellement grillées.

Selon la saison, on peut également ajouter quelques châtaignes grillées au four, ou encore un oignon haché frit pour relever le goût.

Coût : ❀

Difficulté : ❀

Préparation : 30 minutes
Trempage : 1 nuit
Cuisson : 2 heures 30 minutes environ
Pour 6 personnes
Ingrédients :
400 g de poitrine demi-sel
3 cuisses de confit de canard ou 6 manchons
2 poireaux, 2 navets
2 carottes, 2 oignons
4 gousses d'ail
1 cœur de chou vert
150 g de haricots blancs frais
(ou haricots lingots type cassoulet)
3 branches de thym
1 bouquet de persil
10 pommes de terre
Sel, 10 grains de poivre

Gratin de blettes

Ma recette pas à pas :

1 **Séparez** les côtes de blettes de leurs feuilles
   (que l'on ne garde pas dans cette recette.)
   Effilez les côtes puis coupez-les en tronçons
   d'environ 5 cm x 2 cm.

2 **Coupez** le citron en deux, pressez-le
   et recueillez le jus dans un petit bol.

3 **Remplissez** une grande casserole d'eau
   et faites-la bouillir. Salez légèrement et ajoutez
   le jus de citron. Plongez-y les côtes de blettes
   et laissez-les cuire 20 minutes à partir de
   la reprise de l'ébullition. Égouttez et réservez
   dans un saladier.

4 **Préchauffez** le four à 200° C (th. 6/7).

5 **Faites fondre** le beurre dans une casserole, ,
   ajoutez d'un coup la farine et remuez avec
   un fouet. Versez petit à petit le bouillon
   de poule et portez à ébullition sans cesser
   de remuer. Salez et poivrez.
   Laissez cuire à feu doux 15 minutes.

6 **Retirez** la casserole du feu et versez la sauce
   sur les blettes. Mélangez bien.

7 **Disposez** dans un plat allant au four
   et saupoudrez de gruyère râpé.

8 **Enfournez** et laissez gratiner
   environ 30 minutes.

*Pauvre en calories, la blette est
un légume riche en calcium
et en potassium. Elle accompagne
agréablement les viandes au jus.*

*Ses côtes tendres sont excellentes
en gratin, tandis que le vert de
ses feuilles, proche de l'épinard,
est délicieux en sauce à la crème.*

Coût : ☀

Difficulté : ❀

Préparation : 20 minutes

Cuisson : 1 heure 15 minutes

Pour 4 personnes

Ingrédients :
1 kg de blettes
1 citron
40 g de beurre,
50 g de gruyère,
40 g de farine
50 cl de bouillon de poule
Sel, poivre

Gratin de chou-fleur
à la béchamel

Ma recette pas à pas :

1 **Parez** le chou-fleur en retirant les feuilles et les côtes. Divisez l'inflorescence en petits bouquets.

2 **Faites cuire** les bouquets dans 2 litres d'eau bouillante salée pendant environ 10 mn. Surveillez la cuisson car les choux-fleurs doivent rester fermes. Égouttez.

3 **Préparez** la béchamel : faites fondre le beurre dans une casserole, à feu doux. Ajoutez la farine et mélangez avec un fouet. Sans cesser de tourner, délayez avec le lait jusqu'à ce que la sauce épaississe. Salez, poivrez et saupoudrez de noix de muscade.

4 **Préchauffez** le four à 240° C. Beurrez le plat à gratin puis étalez sur le fond une couche de sauce béchamel.

5 **Disposez** les bouquets de chou-fleur et nappez les légumes avec le reste de béchamel.

6 **Parsemez** de gruyère râpé, de chapelure et de petites noisettes de beurre.

7 **Enfournez** et faites dorer à four moyen (180° C, th 6) pendant 15 mn.

Le chou-fleur se marie avec tout... Nappé de béchamel dans ce plat classique, il accompagnera tout autant la volaille que le poisson ou la viande rouge.

Coût : ✿ ✿
Difficulté : ✿
Préparation : 20 minutes
Cuisson : 25 minutes
Pour 4 personnes

Ingrédients :
1 kg de chou-fleur
30 g de beurre
50 g de gruyère râpé
50 g de chapelure

Sauce béchamel :
50 g de beurre
3 cuillerées à soupe de farine
40 cl de lait
1 pincée de noix de muscade râpée
Sel et poivre

Gratins individuels de brocoli

Très digeste, le brocoli est très facile à préparer. Il ne nécessite pas d'épluchage et n'entraîne que très peu de déchets puisque même la tige se consomme. Vous apprécierez ce légume au goût tendre et doux accompagné d'une sauce béchamel onctueuse parsemée de fromage fondu.

Ma recette pas à pas :

1 **Préchauffez** le four à 180° C (th.6).

2 **Lavez** les brocolis, coupez un peu le pied et détachez-les délicatement en fleurettes.

3 **Mettez-les** dans un autocuiseur avec un peu d'eau et le gros sel. Faites-les cuire à la vapeur 4 minutes à partir de l'ébullition.

4 **Préparez** une sauce béchamel classique, d'une consistance lisse et crémeuse sans grumeaux : Dans une casserole, portez le lait à ébullition et réservez. Dans une autre casserole, faites fondre 70 g de beurre à feu moyen.

5 **Ajoutez,** lorsqu'il grésille, la farine d'un seul coup et mélangez vivement au fouet. Baissez le feu. Versez petit à petit le lait bouillant sans cesser de remuer avec le fouet.

6 **Salez,** poivrez et ajoutez une pincée de noix de muscade râpée une fois que le mélange a épaissi et a pris la consistance souhaitée.

7 **Disposez** les bouquets de brocolis dans des plats à gratin individuels beurrés avec le restant de beurre. Nappez-les de sauce béchamel. Saupoudrez de gruyère râpé et du jaune d'œuf dur écrasé.

8 **Faites gratiner** à four chaud 15 minutes.

Coût : ✸

Difficulté : ✸

Préparation : 20 minutes

Cuisson : 30 minutes

Pour 6 personnes

Ingrédients :

1 kg de brocolis

200 g de gruyère râpé

100 g de beurre

2 cuillères à soupe de farine

1 litre de lait

1 petite poignée de gros sel

1 jaune d'œuf dur

Noix de muscade

Sel fin

Poivre du moulin

Gratin montagnard

Ce gratin traditionnel fait toujours plaisir aux très nombreux amateurs de pommes de terre… Il faut dire que l'on apprécie particulièrement ici leur texture moelleuse et fondante.

Le goût rustique du mélange lardons–fromage est tout simplement divin !

Ma recette pas à pas :

1 **Préchauffez** le four à 240° (th.8).

2 **Coupez** le lard en allumettes et réservez. Épluchez et lavez les pommes de terre. Essuyez-les soigneusement et coupez-les en rondelles assez minces. Dans un bol, battez l'œuf, ajoutez la crème et délayez avec le lait. Râpez ensemble les trois fromages.

3 **Beurrez** un plat à gratin. Disposez une couche de pommes de terre, salez, poivrez et saupoudrez d'une pincée de muscade.
Recouvrez d'une couche de fromage râpé. Renouvelez cette opération en terminant par une couche de fromage. On peut répartir les lardons fumés au choix entre les couches.

4 **Versez** sur le plat le mélange crème fraîche-lait-œuf jusqu'aux trois quarts du bord afin que cela ne déborde pas en cuisant.

5 **Enfournez** pendant 15 minutes à 240° C (th.8) puis baissez la température à 180° C (th.6). Laissez cuire environ 1 heure. Vérifiez la cuisson en plongeant un couteau dans le gratin : la lame doit s'enfoncer très facilement dans les pommes de terre.

Coût : ✱

Difficulté : ✱

Préparation : 20 minutes
Cuisson : 1 heure 15 minutes
Pour 6 personnes

Ingrédients :
1 kg de pommes de terre
1 tranche épaisse de lard fumé
500 g de crème fraîche
1 verre de lait
1 œuf
50 g de beaufort
50 g de gruyère
50 g d'emmental
30 g de beurre
Noix de muscade
Sel, poivre

Haricots verts au cerfeuil

Ma recette pas à pas :

1 **Effilez** et équeutez les haricots.
   Pelez et émincez l'ail.
   Lavez et ciselez le cerfeuil.

2 **Faites bouillir** de l'eau dans une grande
   casserole avec une poignée de gros sel.

3 **Plongez** les haricots verts et laissez-les cuire
   environ 20 minutes, selon leur grosseur,
   à partir de la reprise de l'ébullition.
   Les haricots doivent rester croquants.
   Égouttez-les lorsqu'ils sont cuits.

4 **Faites rissoler** l'ail dans l'huile dans une poêle
   à feu moyen.

5 **Ajoutez** les haricots lorsque l'ail frémit et
   faites-les revenir à feu doux quelques minutes.
   Parsemez de cerfeuil et servez chaud.

Pour que les haricots conservent leur belle couleur verte, ne les couvrez pas pendant la cuisson. Une autre petite astuce consiste également à ajouter une pincée de bicarbonate dans l'eau de cuisson. Mais attention, il faudra alors les faire cuire moins longtemps !

Coût : ❋

Difficulté : ❋❋

Préparation : 30 minutes
Cuisson : 30 minutes environ
Pour 6 personnes

Ingrédients :
800 g de haricots verts
3 cuillères à soupe d'huile d'olive
1 gousse d'ail
1 bouquet de cerfeuil
1 citron
1 poignée de gros sel
Sel, poivre

Magret de canard aux asperges

Ma recette pas à pas :

1 **Pelez** les asperges et disposez-les verticalement
   dans de l'eau bouillante salée, en conservant
   les têtes hors de l'eau. Faites cuire 15 à 20
   minutes, suivant le calibre des asperges.
   La pointe d'un couteau doit y pénétrer
   facilement. Égouttez. Faites revenir, dans
   une sauteuse, les asperges dans le beurre.

2 **Préchauffez** le four à 240° C (th. 8).
   Avec un couteau bien affûté, entaillez la peau
   du magret en croisillons sans atteindre la chair.
   Déposez dans un plat côté peau et enfournez
   8 minutes, en arrosant la chair avec le gras
   rendu par la cuisson.

3 **Retirez** du four pendant 5 minutes pour que
   la viande se détende. Pendant ce temps,
   faites chauffer le grill du four et enfournez
   de nouveau le magret pour faire griller la peau.
   Sortez du four au bout de 5 minutes.

4 **Faites griller** les poivrons entiers dans le four
   pendant une dizaine de minutes. Mettez-les
   dans une passoire, couvrez-les d'un torchon
   propre pendant dix minutes. Retirez la peau des
   poivrons, épépinez-les et coupez-les en lanières.

5 **Découpez** le magret en tranches fines puis
   présentez-le sur un plat de service.
   Salez et poivrez, puis disposez harmonieusement
   les asperges tout autour.

6 **Dégraissez** le jus de cuisson et déglacez-le avec
   le porto. Arrosez le magret et les asperges avec
   cette sauce. Saupoudrez avec le persil haché.

La chair ferme du magret de canard
s'associe à merveille avec la tendreté
des asperges. Ce plat raffiné
se contentera d'un accompagnement
plus simple, comme par exemple
une salade verte aux herbes fraîches
du jardin, et un gratin dauphinois
légèrement aillé.

Coût : ❄ ❄

Difficulté : ❄ ❄

Préparation : 30 minutes
Cuisson : 35 minutes
Pour 2 personnes

Ingrédients :
1 beau magret de canard
1 botte d'asperges vertes
5 cl de porto
10 g de beurre
3 brins de persil
Sel, poivre

Mogettes aux tomates et au vin blanc

Ma recette pas à pas :

1 **Portez** de l'eau salée à ébullition dans une cocotte et faites cuire les haricots pendant 30 minutes.

2 **Lavez** le persil et ciselez-le très finement. Épluchez et émincez l'oignon en rondelles.

3 **Incisez** les tomates en croix puis ébouillantez-les pour les peler facilement. Ôtez le pédoncule et coupez-les en petits dés.

4 **Faites fondre** le beurre dans une sauteuse, ajoutez l'oignon émincé et l'ail en chemise. Faites rissoler à feu moyen jusqu'à ce que l'oignon dore.

5 **Ajoutez** les tomates et le vin blanc, puis les mogettes, le thym, le persil et le bicarbonate. Salez et poivrez. Laissez réduire en remuant à la cuillère en bois.

6 **Rectifiez** l'assaisonnement dès que la sauce nappe la cuillère et servez aussitôt.

En Vendée, les mogettes étaient autrefois traditionnellement mijotées au feu de bois, dans un pot de terre que l'on avait préalablement frotté à l'ail. Servez-les en accompagnement d'un gigot d'agneau…

Simple et classique, on n'a pourtant pas trouvé mieux !

Coût : ✹

Difficulté : ✾ ✾

Préparation : 15 minutes
Cuisson : 45 minutes environ
Pour 6 personnes

Ingrédients :
800 g de mogettes fraîches écossées
ou en conserve
6 tomates
2 verres de vin blanc
1 bouquet de persil
1 branche de thym
6 gousses d'ail
1 oignon
30 g de beurre
1 pincée de bicarbonate
Sel, poivre du moulin

Morue à la plancha

Ma recette pas à pas :

1 **Débarrassez** la veille grossièrement les filets de morue de leurs grains de sel avec un torchon propre, puis plongez-les dans une grande casserole remplie d'eau froide.
Couvrez et laissez dessaler 24 heures au réfrigérateur, en changeant l'eau une fois.

2 **Préparez** le jour même les ingrédients pour la marinade : lavez le citron, la tomate, le piment doux et le poivron.
Coupez le citron en fines rondelles.

3 **Ôtez** les pédoncules des trois légumes, épépinez-les puis coupez-les en dés. Épluchez et émincez l'oignon. Lavez et ciselez le persil.

4 **Versez** l'huile d'olive et ajoutez les rondelles de citron et d'oignon, le mélange tomate-piment-poivron, les aromates, l'ail en chemise et le poivre dans un grand plat creux.

5 **Disposez** les filets de morue égouttés en les retournant pour qu'ils s'imprègnent bien de ce mélange. Laissez mariner à température ambiante 4 heures.

6 **Égouttez** de nouveau les filets puis faites les griller à la plancha. Accompagnez d'une sauce de votre choix.

Très utilisée dans la cuisine espagnole, la plancha est une plaque de cuisson qui, comme la pierrade, permet de griller les aliments à sec.

Dans cette recette, la morue étant marinée dans l'huile, vous pouvez également la faire cuire dans une poêle bien chaude.

Coût : ☼
Difficulté : ✻
Préparation : 15 minutes
Dessalage : 24 heures
Cuisson : 15 minutes environ
Pour 4 personnes
Ingrédients :
800 g de filets de morue séchée
1 grand verre d'huile d'olive
1 feuille de laurier
1 branche de thym
2 brins de persil
1 citron
1 tomate
1 poivron
3 gousses d'ail
1 oignon
1 piment doux
10 grains de poivre

Moules basquaise

Ma recette pas à pas :

1 **Préparez** les ingrédients pour la sauce :
  Lavez et grattez les moules.
  Éliminez les coquilles cassées ou entrouvertes
  (elles doivent se refermer quand on les touche
  avec la pointe d'un couteau).

2 **Faites** une légère entaille en forme de croix sur
  la peau des tomates et plongez-les 1 minute
  dans l'eau bouillante. Puis passez-les sous l'eau
  froide pour les peler facilement. Épépinez-les
  puis coupez-les en petits dés.

3 **Épluchez** l'oignon et émincez-le finement.
  Lavez et ciselez le persil.
  Taillez la mie de pain en cubes.

4 **Faites fondre** le beurre dans une grande poêle
  et ajoutez les tomates, la mie de pain et
  les aromates.

5 **Salez, poivrez** et laissez cuire environ
  15 minutes.

6 **Ajoutez** les moules, l'oignon, le vin blanc et
  le concentré de tomates délayé dans un verre
  d'eau. Laissez mijoter le tout 15 bonnes minutes.

7 **Servez** très chaud accompagné d'un plat de riz
  nature et dégustez avec le même vin blanc.

Les moules de bouchot, réputées
comme étant les meilleures, sont
les plus petites et les plus répandues
en France. Leur nom fait allusion
à leur technique d'élevage
sur des pieux. Choisissez-les bien
fermées et consommez-les dans
les trois jours suivant leur achat.

Coût : ❋

Difficulté : ❋ ❋

Préparation : 30 minutes
Cuisson : 30 minutes
Pour 4 personnes

Ingrédients :
2 litres de moules
6 tomates
1 oignon
4 cuillères à soupe de concentré de tomates,
1 verre de vin blanc sec
1 tranche de mie de pain rassis
30 g de beurre
1 branche de persil
1 brin de thym
1 feuille de laurier
Sel et poivre du moulin

Paëlla royale

La paella est le plat le plus connu de la cuisine espagnole. Sa recette comporte de nombreuses variantes, mais les trois ingrédients de base sont le riz, le safran et l'huile d'olive.

On la prépare dans une paellera, grande poêle épaisse et profonde munie de deux poignées.

Coût : ✳ ✳ ✳
Difficulté : ✳ ✳

Préparation : 30 minutes
Cuisson : 1 heure
Pour 10 personnes
Ingrédients :
1 poulet , 1 lapin coupés en morceaux
1 litre de moules nettoyées
10 gambas et 10 langoustines cuites
300 g d'anneaux d'encornet
1 chorizo coupé en rondelles
5 tomates, 2 poivrons
1 oignon, 4 gousses d'ail
1 bouquet de persil
1/2 cuillère à café de filaments de safran
10 cl d'huile d'olive
1 citron
500 g de riz long de qualité
Sel, poivre

Ma recette pas à pas :

1 **Mettez** les moules dans une cocotte, couvrez et laissez cuire à gros feu environ 10 minutes. Elles sont cuites lorsque les coquilles sont bien ouvertes. Égouttez et recueillez le jus de cuisson.

2 **Faites tremper** les filaments de safran dans très peu d'eau bouillante, pendant 15 minutes.

3 **Lavez** les tomates pendant ce temps et coupez-les en quatre. Lavez les poivrons, épépinez-les et débitez-les en fines lanières. Épluchez et émincez l'oignon. Lavez et ciselez le persil.

4 **Faites dorer** à l'huile toutes les viandes dans une grande poêle. Ajoutez les poivrons, les encornets et faites revenir encore 10 minutes.

5 **Mettez** ensuite les tomates, l'ail en chemise, les rondelles d'oignon, le persil, et le safran. Salez et poivrez. Ajoutez le jus de cuisson des moules et 75 cl d'eau. À ébullition, versez le riz en pluie et laissez cuire 20 minutes.

6 **Ajoutez** un demi-litre d'eau et le chorizo durant la cuisson. Mélangez bien tous les ingrédients.

7 **Disposez** les moules, les langoustines et les gambas en étoile, chauffez à feu doux encore 10 minutes et servez aussitôt.

Pintade aux choux

Réputée pour ses qualités gustatives, la chair de pintade est ferme et savoureuse. Choisissez de préférence une pintade fermière à la peau jaune à orange brun. Sa carcasse doit être charnue et son poids doit être compris entre 1,2 kg et 1,6 kg.

Ma recette pas à pas :

1 **Coupez** la pintade en morceaux puis salez et poivrez.

2 **Épluchez** l'oignon et émincez-le. Taillez le lard en petits dés. Pelez la carotte et débitez-la en rondelles.

3 **Coupez** le chou en quatre et retirez les feuilles abîmées. Éliminez le trognon de chaque quartier. Lavez et égouttez. Ciselez les morceaux de chou en fines lanières puis faites blanchir à l'eau bouillante salée pendant 10 minutes. Égouttez.

4 **Faites rissoler** les lardons avec les rondelles de carotte et l'oignon émincé dans une cocotte.

5 **Ajoutez** les morceaux de pintade et les lanières de chou. Rectifiez l'assaisonnement et laissez cuire à couvert pendant 15 minutes.

6 **Mouillez** avec le bouillon et poursuivez la cuisson à feu doux pendant 1 heure.

7 **Dressez** les morceaux de pintade avec les légumes autour sur un plat de service et dégustez aussitôt.

Coût : ✵ ✵
Difficulté : ✵

Préparation : 20 minutes
Repos : 30 minutes
Cuisson : 1 heure 45 minutes
Pour 4 personnes

Ingrédients :
1 belle pintade
1 chou
200 g de lard
1 oignon
1 carotte
10 cl de bouillon de volaille
Sel, poivre

Poivrons farcis à la morue

Le mariage du poivron rouge, sucré et charnu, et de la purée de morue est vraiment exquis. Vous pourrez servir ce plat avec une sauce tomatée.

Malgré un temps de dessalage, le poisson gardera un goût suffisamment salé pour qu'il ne soit pas nécessaire d'ajouter de sel.

Ma recette pas à pas :

1 **Débarrassez** grossièrement, la veille, les filets de morue de leurs grains de sel avec un torchon propre, puis plongez-les dans une grande casserole remplie d'eau froide. Couvrez et laissez dessaler 24 heures au réfrigérateur, en changeant l'eau une fois.

2 **Placez,** le jour même, les morceaux de morue dans une casserole d'eau froide puis allumez à feu vif.

3 *À frémissement,* **baissez** le feu et laissez encore 5 minutes avant de sortir la morue. Ôtez les arêtes et la peau.

4 **Épluchez et émincez** les oignons puis faites-les revenir dans une poêle avec 2 cuillères à soupe d'huile d'olive. Lorsqu'ils sont blonds, ajoutez la morue et l'ail. Pimentez et laissez cuire 15 minutes à couvert.

5 **Découpez** le haut de chaque poivron, côté queue, et éliminez les graines. Pochez les poivrons à l'eau bouillante 5 minutes, puis égouttez-les.

6 **Écrasez** la morue, l'ail et l'oignon en purée. Farcissez-en les poivrons.

7 **Passez-les** dans la farine, le jaune d'œuf battu et la chapelure.

8 **Versez** 3 cuillères d'huile d'olive et faites dorer les poivrons farcis à feu très doux dans une poêle.

Coût : ✸ ✸

Difficulté : ✸ ✸ ✸

Préparation : *20 minutes*
Dessalage : *24 heures*
Cuisson : *40 minutes*
Pour 6 personnes

Ingrédients :

1 kg de morue séchée
6 gros poivrons rouges
2 gros oignons
5 cuillères d'huile d'olive
1 gousse d'ail finement hachée
3 jaunes d'œuf battus
80 g de farine
100 g de chapelure
1 pincée de piment d'Espelette
Poivre du moulin

Poivrons farcis à la viande

Ma recette pas à pas :

1 *Préchauffez* le four à 200° C (th. 6/7).

2 *Découpez* le haut de chaque poivron, côté queue, et éliminez les graines. Pochez les poivrons à l'eau bouillante 5 minutes, puis égouttez-les.

3 *Lavez* les tomates, ôtez les pédoncules et concassez-les grossièrement au couteau.

4 *Pelez* l'ail et pilez-le. Épluchez et émincez l'oignon.

5 *Faites revenir* l'oignon dans l'huile avec les tomates, ajoutez la viande hachée, le riz, l'ail, le poivre et les herbes de Provence dans une sauteuse. Laissez cuire 10 minutes.

6 *Remplissez* les poivrons de cette farce et terminez la cuisson à four chaud pendant 45 minutes.

Choisissez des poivrons de différentes couleurs pour apporter une note de gaieté à ce plat délicieux et très simple à réaliser. Cueillis avant leur maturité, les poivrons verts ne sont pas différents des rouges. Les poivrons violets et jaunes sont des hybrides.

Coût : ✹ ✹
Difficulté : ✿
Préparation : 20 minutes
Cuisson : 50 minutes
Pour 4 personnes

Ingrédients :
4 poivrons de taille moyenne
200 g de bœuf haché
200 g de veau haché
4 gousses d'ail
1 oignon
4 tomates bien mûres
30 g de riz
2 cuillères à soupe d'huile d'olive
Herbes de Provence
Sel, poivre

Pommes de terre farcies aux lardons

Ma recette pas à pas :

1 ***Beurrez*** *un plat à gratin.*

2 ***Lavez*** *et brossez les pommes de terre sans les peler.*

3 ***Mettez-les*** *sur feu vif dans un faitout rempli d'eau et ajoutez une poignée de gros sel. À partir de la reprise de l'ébullition, faites-les cuire 20 minutes. Égouttez-les et laissez-les refroidir.*

4 ***Pelez*** *et hachez finement les oignons pendant ce temps.*

5 ***Coupez*** *les pommes de terre en deux et évidez-les en laissant 5 millimètres de chair à l'intérieur et en réservant le reste. Disposez-les ensuite dans le plat à gratin.*

6 ***Préchauffez*** *votre four à 180° C (th.6).*

7 ***Mettez*** *la chair dans un saladier et réduisez-la en purée à l'aide d'une fourchette, puis incorporez les oignons hachés.*

8 ***Faites revenir*** *les lardons à la poêle puis hachez-les finement au mixer et ajoutez-les au mélange pommes de terre-oignons. Poivrez la farce et ajoutez-y la crème liquide, mélangez bien le tout. Garnissez les pommes de terre. Laissez cuire 20 à 30 minutes pour que le dessus soit bien doré.*

Si cette délicieuse recette a toujours autant de succès, c'est parce qu'elle a le goût des petits plats que cuisinaient nos grands-mères. Avec des ingrédients tout simples et authentiques : des pommes de terre, des lardons, de la crème fraîche… On ne s'en lasse pas !

Coût : ☼

Difficulté : ✻ ✻

Préparation : *20 minutes*

Cuisson : *40 minutes environ*

Pour 6 personnes

Ingrédients :

9 pommes de terre
250 g de lardons fumés
3 oignons
gros sel
30 cl de crème liquide
30 g de beurre
Poivre

Poule au pot Henri IV

Ma recette pas à pas :

1 **Mélangez** la viande hachée et les foies de volaille aux jaunes d'œufs. Parfumez de thym effeuillé, salez et poivrez. Formez une boule en malaxant bien.

2 **Garnissez** de cette farce le ventre de la poule et refermez soigneusement avec de la ficelle de cuisine.

3 **Mettez** la poule, le pied de porc et les os dans un faitout et couvrez d'eau. Portez à ébullition et écumez de temps en temps. Ajoutez ensuite le bouquet garni, la feuille de laurier et les clous de girofle. Salez et poivrez. Laissez cuire 1 heure 30 en écumant toujours.

4 Pendant ce temps, **lavez** tous les légumes, épluchez-les et détaillez-les grossièrement.

5 **Mettez-les** à leur tour dans le faitout et portez à ébullition doucement. Laissez mijoter 30 minutes.

6 **Retirez** la viande et les légumes. Découpez la poule en tranches ainsi que sa farce. Passez le bouillon à l'étamine et versez-le avec les fines herbes sur les légumes. Servez bien chaud, en présentant à part la volaille et sa farce.

C'est parce que la poule est une volaille âgée d'au moins un an que sa chair ferme supportera une cuisson longue à l'eau sans se détacher.

Devenue légendaire grâce à Henri IV, la poule au pot est un plat diététique cuisiné avec de nombreux légumes.

Coût : ☀☀
Difficulté : ✻✻✻
Préparation : 45 minutes
Cuisson : 2 heures
Pour 4 personnes
Ingrédients :
1 poule de 1 kg
1 pied de porc, 2 os à moelle
200 g de viande hachée
150 g de foies de volaille hachés
3 jaunes d'œufs, 1 branche de thym,
1 feuille de laurier, 1 bouquet garni,
2 clous de girofle, 1 botte de poireaux
3 grosses carottes, 6 navets
150 g de céleri rave
5 échalotes, herbes fraîches
1/2 chou-fleur, 1/2 chou blanc
4 pommes de terre
Sel, poivre

Poulet basquaise

Ma recette pas à pas :

1 **Découpez** le poulet en morceaux.

2 **Faites** une légère entaille en forme de croix sur la peau des tomates et plongez-les 1 minute dans l'eau bouillante. Puis passez-les sous l'eau froide pour les peler facilement. Épépinez-les puis concassez-les grossièrement au couteau.

3 **Épluchez** l'ail et les oignons et émincez-les.

4 **Pelez** les poivrons avec un économe puis coupez-les en deux, épépinez-les et enlevez les cloisons blanches. Détaillez en lanières, ainsi que les piments.

5 **Versez** 2 cuillères à soupe d'huile dans une poêle et faites revenir les oignons, l'ail, les piments et les poivrons.

6 **Ajoutez** les tomates, le laurier, le thym et le persil lorsque l'oignon devient translucide. Salez et poivrez.
Laissez mijoter à couvert 25 minutes.

7 **Farinez,** pendant ce temps, les morceaux de volaille. Versez le reste d'huile dans une cocotte et faites sauter le poulet pendant le temps de cuisson des légumes.

8 **Mélangez** ensuite viande et légumes et poursuivez la cuisson 1/4 d'heure.

Régalez-vous de cette sauce légère, parfumée aux aromates et à l'huile d'olive : accompagnez ce plat de riz blanc, de pommes de terre sautées ou de tagliatelles.

Vous pouvez aussi servir avec un pain aromatisé, comme une fougasse aux olives noires.

Coût : ✹

Difficulté : ✿ ✿

Préparation : 20 minutes
Cuisson : 45 minutes
Pour 6 personnes

Ingrédients :
1 beau poulet fermier
6 tomates bien mûres
2 gros oignons
3 gousses d'ail
10 piments verts d'Espelette
2 beaux poivrons
4 cuillères à soupe d'huile d'olive
6 cuillères à soupe de farine
1 feuille de laurier
1 branche de thym
1 bouquet de persil
Sel et poivre du moulin

Saltimbocca

Ma recette pas à pas :

1 *Étalez* les tranches de veau sur le plan de travail. Poivrez et salez. Puis déposez sur chacun d'entre elles une feuille de sauge.

2 *Coupez* les tranches de jambon en deux. Et recouvrez chaque tranche de veau par un morceau de jambon. Fixez le tout avec un ou deux pique-olive.

3 *Faites chauffer* l'huile dans une poêle. Mettez les saltimbocca à dorer, côté jambon, pendant 5 minutes à feu doux, puis retournez-les.

4 *Enlevez* les piques-olives, posez la viande dans un plat de service et réservez au chaud.

5 *Jetez* la moitié du jus de cuisson de la viande et versez les 40 cl de vin blanc dans la poêle. Faites chauffer la poêle à feu vif de façon à réduire le vin blanc de moitié, tout en raclant bien le fond pour détacher les sucs de cuisson. Versez ce jus sur les saltimbocca.

6 *Faites bouillir* une grande casserole d'eau salée. Lorsqu'elle bout, jetez dedans les têtes de brocoli et rajoutez un filet de vinaigre. Au bout de 20 minutes, égouttez et servez.

Très apprécié des Romains, le saltimbocca est un plat qui peut être accompagné d'épinards sautés au beurre avec de l'ail et du piment.

Ce mariage de viandes si goûteux s'associe également bien avec d'autres légumes verts comme les brocolis, les petits pois ou encore une purée.

Coût : � ✶✶

Difficulté : ✶

Préparation : *15 minutes*

Cuisson : *30 minutes*

Pour 6 personnes

Ingrédients :

12 tranches de filet de veau
6 tranches de jambon de parme
12 feuilles de sauge
9 belles têtes de brocoli
3 cuillerées à soupe d'huile de tournesol
40 cl de vin blanc sec
Sel, poivre

Tarte aux navets et aux lardons

Ma recette pas à pas :

1 **Épluchez** et rincez les navets puis coupez-les en fines rondelles.

2 **Faites fondre** le beurre dans une sauteuse avec une pincée de sel puis faites revenir les navets. Poivrez, ajoutez le sucre et 2 verres d'eau. Couvrez et laisser étuver à feu doux 15 minutes.

3 **Préchauffez** le four à 180° C (th. 6).

4 **Faites dorer** les lardons à sec dans une poêle chaude. Ajoutez-les aux navets et faites évaporer l'eau de cuisson à découvert.

5 **Étalez** la pâte dans un moule beurré, piquez le fond, faites cuire à blanc pendant 10 minutes.

6 **Mélangez** les œufs et la crème puis salez et poivrez.

7 **Sortez** le fond de pâte, disposez les navets et les lardons et versez le mélange œufs-crème. Enfournez de nouveau pendant environ 35 minutes.

8 **Parsemez** de persil haché et servez très chaud.

Autrefois très consommé en Europe, le navet a peu à peu été supplanté par la pomme de terre. Redécouvrez dans cette tarte surprenante la délicatesse de ce légume à la chair tendre et fine, en accord parfait avec la saveur fumée des lardons.

Coût : ❋

Difficulté : ❋

Préparation : 30 minutes
Cuisson : 55 minutes
Pour 6 personnes

Ingrédients :
1 rouleau de pâte brisée prête à étaler
1 kg de petits navets
150 g de lardons
4 cuillères à soupe de crème épaisse
2 œufs + 1 jaune
40 g de beurre
1 cuillère à café de sucre
1 bouquet de persil
Sel, poivre

Tarte aux tomates confites

Ces tomates confites maison sont à conserver en pots ou à consommer immédiatement dans une succulente tarte aux saveurs méditerranéennes.

Ma recette pas à pas :

1 **Préchauffez** le four à 150° C. Mondez les tomates en les ébouillantant quelques secondes, ôtez leur pédoncule et coupez-les en quatre dans le sens de la hauteur. Retirez les pépins et la pulpe intérieure et ne conservez que la partie extérieure.

2 **Posez** une feuille de papier sulfurisé sur la plaque du four, et disposez vos quartiers de tomates, côté intérieur sur le fond. Arrosez-les d'huile d'olive, puis saupoudrez-les de gros sel, de poivre, de sucre, et de thym effeuillé.

3 **Enfournez** et laissez confire pendant 1 h 30 (les tomates doivent rester moelleuses, surveillez leur cuisson qui peut dépendre de leur variété).

4 **Beurrez** un moule à tarte et habillez-le de pâte feuilletée. Piquez le fond avec une fourchette et faites cuire à blanc cette pâte pendant 10 mn.

5 **Préparez** une sauce au pesto : épluchez l'ail et pilez-le. Hachez le basilic dans le bol du mixeur avec l'ail et les pignons de pins puis ajoutez petit à petit l'huile d'olive et le parmesan en continuant de mixer.

6 **Étalez** cette sauce pesto sur le fond de la pâte feuilletée puis garnissez-la de tomates confites. Salez (sel fin) et poivrez. Enfournez à 180 °C pendant 10 mn.

Coût : ✸ ✸
Difficulté : ✸ ✸
Préparation : 20 minutes
Cuisson : 1 heure 50 minutes
Pour 4 personnes

Ingrédients :
1 kg de tomates en grappes
1 rouleau de pâte feuilletée
6 brins de thym
Huile d'olive
Sucre en poudre
Sel fin, gros sel et poivre
Pour la sauce :
1 bouquet de basilic
1 gousse d'ail
1 cuillère à soupe de pignons de pin
100 g de parmesan en poudre
1 verre d'huile d'olive

Tarte aux trois poivrons

Ma recette pas à pas :

1 *Préchauffez* le four à 180° C (th.6). Beurrez le moule à tarte.

2 *Travaillez* du bout des doigts la farine et le beurre coupé en morceaux. Ajoutez l'huile, la moutarde, le piment et le sel.

3 *Amalgamez* et pétrissez jusqu'à l'obtention d'une pâte homogène. Puis laissez-la reposer pendant 30 minutes.

4 *Pelez* et émincez les oignons. Plongez les tomates une minute dans l'eau bouillante, puis trempez-les dans l'eau froide afin de les peler facilement. Puis épépinez-les et coupez-les en dés. Réservez les oignons et les tomates.

5 *Faites griller* les poivrons entiers dans le four pendant une dizaine de minutes. Mettez-les dans une passoire, couvrez-les d'un torchon propre pendant dix minutes. Retirez la peau des poivrons, épépinez-les et coupez-les en lanières.

6 *Étalez* la pâte au rouleau et disposez-la dans le moule. Garnissez-la avec les oignons et les tomates. Salez, poivrez et saupoudrez de thym.

7 *Disposez* dessus les lanières de poivrons en alternant les couleurs, de façon à recouvrir l'ensemble de la tarte.

8 *Enfournez* et laissez cuire 45 minutes. Servez la tarte tiède ou froide.

Voici une tarte légère aux couleurs franches qui exhale un délicieux parfum d'été. Ces légumes du soleil sont cuisinés de la manière la plus simple et la plus naturelle afin d'en faire ressortir les saveurs. Vous apprécierez la pâte originale qui ajoute une touche raffinée.

Coût : ❋ ❋ ❋
Difficulté : ❋ ❋ ❋
Préparation : 15 minutes
Repos : 30 minutes
Cuisson : 45 minutes
Pour 6 à 8 personnes
Ingrédients :
250 g de farine
125 g de beurre
2 cuillerées à soupe d'huile
1 cuillerée à café de moutarde
1 pincée de piment de Cayenne
1 pincée de sel
Pour la garniture :
3 gros oignons
4 grosses tomates
4 poivrons (2 rouges, 1 jaune, 1 vert)
1 pincée de thym
Sel, poivre

Tempura de légumes

La tempura est l'un des plats les plus connus de la gastronomie japonaise.

Son principal atout est de pouvoir se préparer avec la plupart des légumes.

Ma recette pas à pas :

1 **Lavez** les légumes. Pelez les carottes et les courgettes, enlevez les graines de l'aubergine. Coupez tous les légumes en tranches dans le sens de la longueur, puis taillez des petits bâtonnets de 5 mm d'épaisseur.

2 **Préparez** la sauce : mélangez la sauce de soja, le mirin et le dashi dans une casserole. Portez à ébullition puis laissez cuire 1 mn à feu doux. Laissez refroidir. Épluchez et râpez le petit daïkon.

3 **Préparez** la pâte à frire : mélangez dans une terrine les jaunes d'œufs avec 15 cl d'eau glacée. Incorporez 150 g de farine. L'appareil à frire doit avoir un aspect grumeleux.

4 **Faites chauffer** l'huile dans une friteuse ou une poêle à frire. Pour vérifier la température, laissez tomber une goutte de pâte dans l'huile ; l'huile est prête lorsque la pâte remonte tout de suite à la surface en bouillonnant. Passez les bâtonnets de légumes dans la farine, puis trempez-les dans la pâte à frire.

5 **Plongez** les légumes dans le bain de friture. Les beignets sont cuits lorsque les bulles de pâte deviennent toutes petites. Pour les carottes et les courgettes, trempez dans la pâte plusieurs bâtonnets d'un coup et faites les frire en paquets.

6 **Retirez** les beignets avec une écumoire et déposez-les sur du papier absorbant. Versez la sauce dans des petits bols et ajoutez une cuillerée à café de daïkon rapé. Servez.

Coût : ☀

Difficulté : ❋ ❋

Préparation : 30 minutes
Cuisson : 2 minutes par beignet
Pour 2 personnes
Ingrédients :
2 courgettes
2 poireaux
2 carottes
$1/2$ aubergine
200 g de farine
3 jaunes d'œuf
Sauce soja
Huile végétale de friture
Pour la sauce :
2 cuillerées à soupe de mirin
2 cuillerées à soupe de sauce de soja
250 ml de dashi
1 petit daïkon

Thon basquaise

Le thon est un poisson qui s'oxyde rapidement. Sa chair bien rouge, ferme et compacte, prend des reflets métalliques lorsque le poisson est découpé à l'avance.

Pour être sûr de sa fraîcheur, demandez au poissonnier de le couper au dernier moment.

Ma recette pas à pas :

1 **Lavez** les herbes et les légumes.
Retirez le pédoncule des tomates puis coupez-les en quartiers. Enfoncez les queues des poivrons pour qu'elles se détachent, entraînant les graines avec elles. Secouez les poivrons pour éliminer les dernières graines et débitez-les en lanières. Coupez les piments en dés. Épluchez l'ail, l'oignon et émincez-les.

2 **Versez** 2 cuillères à soupe d'huile dans une poêle et faites revenir à feu moyen les tomates, les poivrons, les piments, l'oignon et l'ail pendant 5 minutes, en remuant avec une cuillère en bois. Ajoutez le persil haché, le laurier, le thym. Salez et poivrez.
Couvrez et laissez mijoter 30 minutes.

3 **Farinez** les tranches de thon sur les deux faces, puis faites-les revenir dans une poêle avec le restant d'huile d'olive, sur feu très doux pendant 20 à 25 minutes.

4 **Incorporez-les** à la sauce et poursuivez la cuisson 15 minutes supplémentaires pour que le thon s'imprègne du goût.

Coût : ✹ ✹

Difficulté : ✿ ✿

Préparation : 20 minutes

Cuisson : 1 heure 15 minutes environ

Pour 4 personnes

Ingrédients :
4 tranches de thon rouge frais
5 tomates mûres
6 piments verts doux
2 gros poivrons
1 bouquet de persil
1 branche de thym
1 feuille de laurier
5 cuillères à soupe d'huile d'olive
8 cuillères à soupe de farine
1 oignon
2 gousses d'ail
Sel, poivre

Thon à la provençale

Ma recette pas à pas :

1 **Coupez** le thon en six morceaux égaux.

2 **Pelez** et émincez les échalotes, l'oignon et l'ail.

3 **Lavez** et essuyez les courgettes, les aubergines et les tomates. Coupez les courgettes et les tomates en rondelles et les aubergines en petits dés.

4 **Lavez** les poivrons, épépinez-les et ôtez la cloison blanche puis découpez-les en lanières. Épluchez et émincez les pommes de terre. Coupez le fenouil en huit.

5 **Versez** l'huile dans une cocotte. Faites revenir dans l'ordre : le thon, l'aubergine, les courgettes, le fenouil, les poivrons, les pommes de terre, les gousses d'ail, les échalotes, l'oignon et enfin les tomates.

6 **Laissez** prendre la couleur et mouillez avec le vin rosé. Incorporez le bouquet garni, les herbes de Provence, le jus de citron, le sel et le poivre.

7 **Couvrez** et faites cuire à couvert sur feu doux dans le liquide 25 minutes en remuant souvent.

8 **Servez** entouré des légumes de cuisson.

Pour parfumer la chair du thon à cœur, vous pouvez piquer les morceaux de poisson de petites gousses d'ail épluchées et fendues en deux, comme vous le feriez pour un rôti. Plus présent, le goût de l'ail restera néanmoins très subtil.

Coût : ✹ ✹
Difficulté : ✿ ✿
Préparation : 30 minutes
Cuisson : 25 minutes
Pour 6 personnes
Ingrédients :
1,2 kg de thon
2 échalotes, 3 gousses d'ail
1 gros oignon, 2 courgettes, 2 aubergines
1 poivron rouge et 1 poivron vert
10 petites tomates, 1 fenouil
12 petites pommes de terre
1 bouquet garni
(thym, laurier, romarin, persil)
1 pincée d'herbes de Provence
1 morceau de sucre
20 cl de rosé de Provence
le jus d'un citron, 15 cl d'huile d'olive
Sel, poivre

Tian provençal

Le tian est un excellent gratin de légumes aux accents de Provence, délicatement parfumé d'herbes aromatiques. Servi indifféremment en entrée ou en accompagnement de grillades par exemple, il est indissociable de la cuisine du Midi.

Ma recette pas à pas :

1 **Lavez** tous les légumes. Faites chauffer quatre cuillerées d'huile d'olive dans une grande poêle. Coupez les aubergines en rondelles puis faites-les dorer dans l'huile d'olive, 2 mn de chaque côté.

2 **Pelez et émincez** les oignons. Dans une autre poêle, faites-les revenir dans deux cuillerées à soupe d'huile d'olive.

3 **Coupez** les tomates et les courgettes en rondelles d'un demi-centimètre d'épaisseur.

4 **Frottez** une gousse d'ail dans le fond d'un plat à gratin. Étalez les oignons, puis, au dessus, les rondelles d'aubergines les unes à côté des autres. Arrosez d'huile d'olive, salez et poivrez.

5 **Continuez** à disposer les légumes par couches (courgettes, tomates, aubergines courgettes et tomates) en arrosant chacune d'huile d'olive. Salez et poivrez chaque étage. L'huile d'olive doit recouvrir les légumes au 3/4 du plat.

6 **Parsemez** la dernière couche de tomates de gruyère râpé. Ciselez le persil et le basilic, effeuillez le thym et répartissez ces herbes sur la surface du plat. Enfournez pendant 45 minutes à 180° C.

7 **Videz** l'huile d'olive avant de servir.

Coût : ❋

Difficulté : ❋ ❋

Préparation : 20 minutes
Cuisson : 45 minutes
Pour 4 personnes

Ingrédients :
6 tomates
2 courgettes
2 aubergines
2 oignons
1 gousse d'ail
50 cl d'huile d'olive
1 bouquet de persil
1 bouquet de basilic frais
3 branches de thym
Gruyère râpé
Sel, poivre

Tomates farcies

Ma recette pas à pas :

1 **Préchauffez** le four à 180° C (th. 6).

2 **Lavez** et évidez les tomates en gardant la pulpe et les chapeaux.

3 **Lavez** le persil et hachez-le.
Pelez l'ail et émincez-le très finement.

4 **Coupez** le pain en petits morceaux. Faites-les ramollir 5 minutes dans du lait puis égouttez.

5 **Réalisez** la farce en mélangeant la chair à saucisse, la pulpe de tomates, l'ail, le persil, le pain émietté et la chapelure.
Salez, poivrez et malaxez bien le tout.

6 **Remplissez** les tomates de farce et coiffez-les de leurs chapeaux.

7 **Badigeonnez,** avec un pinceau de cuisine, l'extérieur d'huile d'olive.

8 **Enfournez** et laissez cuire 30 à 45 minutes.

Il existe de nombreuses variantes de cette recette. On peut notamment ajouter une tasse de riz dans la farce, des feuilles de thym, de romarin…

Afin de la rendre plus digeste, vous pouvez aussi remplacer une partie de la chair à saucisse par de la viande blanche.

Coût : ☀

Difficulté : ❀ ❀

Préparation : *15 minutes*

Cuisson : *45 minutes environ*

Pour 6 personnes

Ingrédients :
6 grosses tomates pas trop mûres
3 gousses d'ail
3 branches de persil
400 g de chair à saucisse
200 g de pain
1 verre de lait
100 g de chapelure
10 cl d'huile d'olive
Sel, poivre

Tomates à la provençale

Ma recette pas à pas :

1 **Préchauffez** le four à 220° C (th. 7). Huilez un plat à gratin.

2 **Lavez** les tomates, retirez leur pédoncule et coupez-les en deux.

3 **Déposez** les tomates dans le plat à gratin, côté peau. Salez et poivrez-les.

4 **Lavez** le persil et ciselez-le. Épluchez les gousses d'ail et hachez-les finement.

5 **Mélangez** dans un bol le persil, l'ail et la chapelure.

6 **Parsemez** les tomates de ce mélange et arrosez-les d'huile d'olive.

7 **Enfournez** environ 20 minutes. La pointe d'un couteau doit s'enfoncer facilement. Servez aussitôt.

Les tomates provençales sont l'accompagnement idéal pour tout type de plats : côtes d'agneau, rôti de bœuf, poisson grillé ou pommes de terre… Leur réussite dépend simplement de la maturité des fruits et du bon dosage de leur assaisonnement de base : ail et persil !

Coût : ❋

Difficulté : ❋❋

Préparation : 10 minutes
Cuisson : 20 minutes
Pour 6 personnes

Ingrédients :
6 tomates
3 cuillères à soupe d'huile d'olive
1 bouquet de persil
6 gousses d'ail
12 cuillères à café de chapelure
Sel, poivre

Ma recette pas à pas :

1 *Épluchez* les carottes et taillez-les en lanières
   à l'aide d'un économe.

2 *Brossez* l'orange sous un filet d'eau courante
   et découpez des zestes dans l'écorce.
   Pressez le jus des citrons et réservez.

3 *Versez* l'huile dans un grand faitout et faites
   colorer doucement les carottes en remuant
   avec une cuillère en bois.

4 *Incorporez*, lorsque les carottes deviennent
   translucides, les zestes d'orange et ajoutez
   le jus de citron. Laissez réduire à feu doux
   jusqu'à évaporation.

5 *Ajoutez* de l'eau à mi-hauteur puis laissez
   réduire jusqu'à évaporation.

6 *Incorporez* le sucre tout en remuant.
   Couvrez et laissez mijoter environ 1 heure 30
   à feu très doux, en vérifiant de temps à autre
   que le mélange n'accroche pas.

7 *Retirez* du feu, laissez refroidir et mettez en pots.

*La carotte est une racine à la saveur
subtilement sucrée et que l'on
a l'habitude d'associer aux viandes.
Cette recette idéale s'avère pour
accompagner les pâtés de campagne
ou les buffets froids à base de rôti
de porc, de volaille ou encore gigot
d'agneau.*

Coût : ❋
Difficulté : ❋ ❋ ❋
Préparation : *10 minutes*
Repos : *30 minutes*
Cuisson : *3 heures environ*
Pour 4 pots de 350 g environ

Ingrédients :
1 kg de carottes
1 orange non traitée
4 citrons
350 g de sucre
1 cuillère à soupe d'huile d'olive

Crumble aux pommes

Facile à réaliser, ce dessert croustillant et fondant à la fois est tout simplement délicieux. Pour varier les plaisirs, on peut le parfumer de cannelle, pour un goût plus « british », ou y ajouter des framboises dont la saveur acidulée se marie parfaitement à celle de la pomme.

Ma recette pas à pas :

1 *Épluchez* les pommes, coupez-les en quatre pour ôter le cœur et les pépins. Puis coupez chaque quartier en deux.

2 *Faites revenir* sur feu vif les tranches de pommes dans 100 g de beurre en les retournant rapidement pour que chaque face soit dorée des deux côtés.

3 *Baissez le feu* puis ajoutez 300 g de sucre, 10 cl d'eau, la pincée de sel et la vanille. Couvrez et laissez cuire 10 minutes à feu doux.

4 *Vérifiez* entre-temps que la compote n'attache pas, en remuant de temps à autre avec une spatule en bois. Retirez du feu au bout de 10 minutes.

5 *Faites préchauffer* votre four à 220° C (th.7). Dans une terrine, maniez ensemble du bout des doigts les 200 g de beurre en morceaux, avec 200 g de sucre et 200 g de farine. Vous devez obtenir de petites miettes de ce mélange légèrement fariné qui doivent retomber en pluie dans la terrine et que l'on nomme « crumble ».

6 *Versez* la compote jusqu'à 3 centimètres du bord dans un plat d'environ 20 cm de diamètre et allant au four,

7 *Saupoudrez* la compote de « crumble » et placez à four chaud environ 20 minutes jusqu'à ce que la surface caramélise.

Coût : ✳

Difficulté : ✳

Préparation : 35 minutes
Cuisson : 30 minutes
Pour 6 à 8 personnes

Ingrédients :

1,5 kg de pommes acidulées
500 g de sucre roux
300 g de beurre, dont 200 g
en petits morceaux
200 g de farine, de préférence non fluide
1 pincée de sel
1 pincée de vanille naturelle en poudre,
ou 1 sachet de sucre vanillé

Gâteau aux poires

On oublie parfois, au détriment
d'une tarte certes plus légère,
combien un gâteau aux fruits
est délicieux à déguster seul
au goûter et si facile à réussir.

Ma recette pas à pas :

1 **Préparez** les fruits : pelez les poires et coupez-les
   en deux. Évidez la partie centrale fibreuse et
   contenant les pépins.
   Préchauffez le four à 180° C (th.6)

2 **Battez** à l'aide d'un fouet les 4 œufs entiers,
   200 g de sucre et le sachet de sucre vanillé
   jusqu'à obtenir une pâte lisse et mousseuse
   dans un saladier. Ajoutez le beurre ramolli
   réduit en morceaux.

3 **Tamisez** la farine avec la levure et la cannelle
   au-dessus du saladier de façon à bien mélanger
   les ingrédients pour obtenir une pâte homogène.
   Cette opération ne doit pas être négligée,
   car la cuisson et donc la réussite du gâteau
   en dépendent.

4 **Beurrez** un moule à manqué de 26 cm.
   Pour faciliter le démoulage, saupoudrez-le
   ensuite de farine. Puis versez-y la pâte.

5 **Disposez** les demi-poires sur la pâte, côté bombé
   vers le haut. Saupoudrez avec le reste de sucre.
   Faites cuire 50 minutes. Vérifiez la cuisson
   avec la pointe d'un couteau, qui doit être sèche.
   Laissez refroidir avant de démouler.

Coût : �֎

Difficulté : �֎

Préparation : 30 minutes
Cuisson : 50 minutes
Pour 6 à 8 personnes

Ingrédients :
1 kg de poires conférence
250 g de farine
250 g de sucre
1/2 sachet de levure chimique
1 sachet de sucre vanillé
125 g de beurre (+ beurre pour le moule)
4 œufs
1 cuillère à café de cannelle (facultatif)

Gratin aux pommes

Ma recette pas à pas :

1 **Préchauffez** le four à 200° C (th. 6/7).

2 **Coupez** les citrons en deux, pressez leur jus et réservez.

3 **Coupez** les pommes en quatre pour enlever le cœur et les pépins. Épluchez les quartiers de pommes.

4 **Coupez** 16 quartiers en lamelles dans un plat creux. Arrosez-les de jus de citron pour éviter qu'ils noircissent. Réservez.

5 **Versez** le sucre en poudre, les œufs et la pincée de sel dans un saladier. Fouettez jusqu'à ce que le mélange blanchisse. Incorporez petit à petit la farine et le lait.

6 **Râpez** les quatre quartiers de pomme restants dans cette pâte bien lisse et mélangez avec une spatule.

7 **Beurrez** et farinez un moule à manqué d'environ 24 cm de diamètre. Versez-y la préparation, et disposez ensuite les lamelles de pommes sur le dessus. Saupoudrez de sucre roux et enfournez pendant 40 minutes environ.

8 **Vérifiez** la cuisson en plantant un couteau : si la lame ressort propre, le gâteau est cuit. Laissez refroidir avant de servir.

Très appréciable à l'heure du goûter, ce gratin léger peut être accompagné d'une boule de glace à la vanille.

Pour renforcer son goût frais, recueillez les zestes d'un citron et incorporez-les à la pâte qu'ils parfumeront délicatement de leur saveur acidulée.

Coût :

Difficulté :

Préparation : 20 minutes
Cuisson : 40 minutes
Pour 6 personnes

Ingrédients :
5 pommes
2 citrons
350 ml de lait
125 g de farine tamisée
100 g de sucre en poudre
3 œufs
1 pincée de sel
50 g de sucre roux

Marmelade de framboises

Ma recette pas à pas :

1 **Triez** les framboises sans les laver, puis mixez-les.

2 **Versez** la pulpe de framboise dans la bassine à confiture et portez doucement à ébullition.

3 **Ajoutez** le sucre et portez de nouveau à ébullition, en remuant sans cesse pendant 5 minutes.

4 **Écumez** et mélangez une dernière fois, puis retirez du feu.
Vérifiez la cuisson en versant quelques gouttes sur une assiette froide : la marmelade doit figer rapidement.

5 **Versez** la marmelade dans des petits pots et laissez-la refroidir, de préférence, avant de les couvrir.

On croit à tort que la confiture et surtout la marmelade généralement marinée, demandent un temps fou et qu'il faut beaucoup de dextérité pour y arriver.

Il n'en est rien en voici la preuve !

Coût : ☼

Difficulté : ✱

Préparation : *10 minutes*
Cuisson : *5 minutes*
Pour 5 pots

Ingrédients :
1 kg de framboises
1 kg de sucre gélifiant

Mousse *d'abricots* *et* framboises

Ma recette pas à pas :

1 **Lavez** et dénoyautez les abricots. Faites-les cuire
10 minutes avec 10 cl d'eau et 100 g de sucre.
Réduisez le mélange en purée à l'aide d'un
mixer ou d'un presse-purée.

2 **Séparez** les blancs des jaunes d'œufs.
Fouettez les jaunes d'œufs avec 60 g de sucre
jusqu'à ce qu'ils blanchissent.
Ajoutez la maïzena, puis le jus d'orange.
Faites chauffer à feu doux, en remuant.

3 **Incorporez** ensuite la purée d'abricots
au mélange. Retirez du feu au premier bouillon,
lorsque le mélange épaissit. Veillez à ne pas
dépasser cet instant : la crème ne doit pas cuire
trop longtemps, elle se dessècherait.

4 **Battez** les blancs d'œufs en neige dans
un saladier. Versez dessus la préparation
très chaude en mélangeant vivement.
Laissez refroidir. Triez les framboises et
réservez-en quelques-unes pour la décoration.
Incorporez les framboises à la mousse.

5 **Mettez** la mousse dans des coupes individuelles
ou dans un compotier. Placez-la au réfrigérateur
pendant 4 heures. Au moment de servir, disposez
quelques framboises dessus.

Cette mousse légère marie à merveille
l'abricot acidulé à la douce framboise.
Choisissez de préférence des coupes
en verre pour profiter des couleurs
éclatantes de ces fruits.

Servez cette mousse très fraîche
avec des biscuits fins.

Coût : ❋
Difficulté : ❋ ❋
Préparation : 25 minutes
Réfrigération : 4 heures
Cuisson : 25 minutes
Pour 6 personnes

Ingrédients :
500 g d'abricots
250 g de framboises
160 g de sucre
3 œufs
20 g de maïzena
20 cl de jus d'orange pressé

Pain d'épice perdu aux pêches jaunes

Fruits juteux sur pain d'épice et moelleux… Cette recette toute simple surprendra à coup sûr vos invités. Vous pouvez servir ce dessert accompagné d'une boule de glace à la vanille.

Ma recette pas à pas :

1 **Beurrez** les tranches de pain d'épice et disposez-les côté beurre dans un plat à gratin. Préchauffez le four à 210° C (th.7).

2 **Pelez** les pêches et coupez-les en quatre. Faites-les dorer dans une sauteuse avec une noix de beurre. Saupoudrez 100 g de sucre sur les pêches pour les faire caraméliser. Remuez avec une spatule pour qu'elles n'attachent pas.

3 **Placez** les pêches dans le plat à gratin sur le pain d'épice, en les répartissant de façon équilibrée.

4 **Battez** la crème avec le sucre restant et la liqueur de pêche dans un bol. Versez cette préparation sur les pêches. Donnez 2 ou 3 tours de moulin à poivre sur l'ensemble du plat.

5 **Saupoudrez** de cannelle avant d'enfourner. Laissez cuire une quinzaine de minutes environ, de façon à ce que les fruits soient légèrement caramélisés. Servez tiède.

Coût : ✳

Difficulté : ❋

Préparation : 15 minutes
Cuisson : 20 minutes
Pour 6 personnes

Ingrédients :
12 tranches de pain d'épice
1 kg de pêches jaunes
100 g de beurre
150 g de sucre roux
10 cl de crème liquide
10 cl de liqueur de pêche
2 tours de moulin à poivre
1 pincée de cannelle

Tarte aux deux prunes

*Cette tarte aux deux prunes
est moelleuse et riche en parfums
grâce à ses fruits cuits préalablement
avec les épices.*

Ma recette pas à pas :

1 **Préparez** la pâte : mélangez la farine, le sel,
le sucre, ajoutez le beurre en morceaux.
Amalgamez et liez avec un peu d'eau jusqu'à
ce que la pâte soit souple. Laissez-la reposer
couverte d'un torchon pendant 1 heure
au réfrigérateur.

2 **Lavez** et dénoyautez les prunes. Préchauffez
le four à 180° C (th. 6). Une fois reposée,
étalez la pâte sur un plan de travail fariné
et garnissez un moule de 28 cm.
Réservez le reste de pâte.

3 **Faites cuire** séparément les quetsches et
les mirabelles, en partageant la moitié de sucre,
le sucre vanillé et la cannelle, pendant 7 minutes
en remuant délicatement pour que les fruits
n'attachent pas. Puis laissez refroidir.

4 **Battez** l'œuf et la crème et nappez-en le fond
de tarte. Répartissez dessus les compotes en
alternant des bandes de quetsches et de mirabelles.

5 **Formez** des bandes avec le reste de pâte
et disposez-les en croisillons sur la tarte.
Enfournez et faites cuire la tarte pendant
40 minutes. Servez-la froide.

Coût : ❀

Difficulté : ❀ ❀

Préparation : *30 minutes*

Repos : *1 heures*

Cuisson : *40 minutes*

Pour 6 personnes

Ingrédients :

350 g de farine

175 g de beurre

100 g de sucre

1 pincée de sel

Pour la garniture :

400 g de quetsches

400 g de reines-claudes

1 cuillère à café de cannelle

2 sachets de sucre vanillé

80 g de sucre

10 cl de crème fraîche

1 œuf

Tarte aux pommes

Ma recette pas à pas :

1 ***Préchauffez*** *le four à 220° C (th. 7). Beurrez le moule à tarte.*

2 ***Épluchez*** *les pommes et coupez-les en fines lamelles.*

3 ***Formez*** *un puits de farine, incorporez avec les doigts le beurre découpé en petits morceaux et la pincée de sel.*
Travaillez le mélange en soulevant jusqu'à l'obtention d'une texture sableuse.
Ajoutez l'eau pour obtenir une pâte lisse.

4 ***Étalez*** *la pâte au rouleau, et disposez-la dans le moule. Aérez la pâte à l'aide d'une fourchette.*

5 ***Disposez*** *les tranches de pommes en spirale et saupoudrez de sucre vanillé.*

6 ***Faites cuire*** *30 minutes à four chaud.*

7 *Dès la sortie du four,* ***badigeonnez*** *délicatement les pommes avec la confiture à l'aide d'un pinceau de cuisine.*

Cette tarte est délicieuse servie chaude, à la manière d'une tarte tatin, accompagnée de crème fraîche ou d'une boule de glace à la vanille.

Vous pouvez aussi remplacer la confiture d'abricots par un mélange de calvados et de miel d'acacia.

Coût : ✹
Difficulté : ✹ ✹
Préparation : *20 minutes*
Cuisson : *30 minutes*
Pour 6 à 8 personnes

Ingrédients :
3 pommes
2 sachets de sucre vanillé
4 cuillères à soupe de confiture d'abricots

Pour la pâte :
100 g de beurre ramolli
200 g de farine tamisée
1 pincée de sel
1 verre d'eau tiède

Index

Table des matières